A criança adotiva

Nazir Hamad

A criança adotiva
e suas famílias

PREFÁCIO
Charles Melman

TRADUÇÃO
Sandra Regina Felgueiras

EDITOR
José Nazar

*Companhia
de Freud*
e d i t o r a

Copyright © by Éditions Denoël, 2001

TÍTULO ORIGINAL
L'enfant adoptif et ses familles

Direitos de edição em língua portuguesa adquiridos pela
EDITORA CAMPO MATÊMICO
Proibida a reprodução total ou parcial

EDITORAÇÃO ELETRÔNICA
FA - Editoração Eletrônica

ILUSTRAÇÃO DE CAPA
Le jouer du flûte, Picasso.

TRADUÇÃO
Sandra Regina Felgueiras

EDITOR RESPONSÁVEL
José Nazar

CONSELHO EDITORIAL
*Bruno Palazzo Nazar
José Nazar
José Mário Simil Cordeiro
Maria Emília Lobato Lucindo
Teresa Palazzo Nazar
Ruth Ferreira Bastos*

FICHA CATALOGRÁFICA

H198
     Hamad, Nazir
        A criança adotiva e suas famílias / Nazir Hamad;
prefácio Charles Melman; tradução Sandra Regina
Felgueiras. – Rio de Janeiro: Companhia de Freud, 2002.

     160 p. ; 23 cm

     ISBN 85-85717-63-9

     1. Adoção. 2. Psicologia infantil. 3. Pais e Fi-
lhos. I. Felgueiras, Sandra Regina. II. Título.

CDD-155.4

*Companhia
de Freud*
e d i t o r a

ENDEREÇO PARA CORRESPONDÊNCIA
Rua da Candelária, 86 - 6ª andar
Tel.: (21) 2263-3960 • (21) 2263-3891
Centro - Rio de Janeiro
e-mail: ciadefreud@ism.com.br

ÍNDICE

Cegonha e cientificidade, por *Charles Melman*..11

Introdução 13

1. A demanda de adoção..21
   Há um direito à adoção? 21
   O Estado deveria estimular a adoção?..22
   Um lugar para o qual dirigir sua queixa 23
   Por que se associam psis aos dispositivos de acolhida de candidatos?....24
   Existem critérios de seleção? 26
   Algumas conseqüências inesperadas suscitadas pela rejeição de
   candidatura..28
   É preciso ponderar as respostas..29

2. O Pacto Civil de Solidariedade 33
   Os dois eixos de fratura..33
   Quando os psis se metem nisso 35
   O que é uma verdadeira monoparentalidade? 39
   É preciso nuançar as afirmações 42

3. O projeto de adoção...45
   O casal não é uma pessoa...46
   O lugar do sujeito na economia do casal 46
   A adoção se faz por três gerações 48
   As sensibilidades dos candidatos 49

4. A escolha da criança 53
   A escolha cultural 54
   O peso da História 56
   A referência ao Outro sagrado 57
   Laicidade e inclusões religiosas 58
   Dois pontos de vista de especialistas religiosos 59
   A adoção na religião judaica 59
   A adoção e a religião muçulmana 61

5. As motivações 65
   O Outro que poderia nos fazer justiça 65
   Sofrimento e traumas 66
   Você não conseguiu se fazer entender 67
   Recusa de fazer o luto 68
   Procedimento pelo lado da vida 68
   Saúde precária e doenças graves 69
   Pulsão de vida e pulsão de morte 69
   A escolha do sexo da criança 70
   Os celibatários 73

6. O desejo de criança 75
   Desejo da mãe e dívida com o pai 75
   Luto da gravidez 77
   Os três desejos 79
   O desejo de criança que já está aí 80
   Luto e desejo inconsciente 81
   O encontro 83
   A criança desejada 86

7. O que constitui a família? 91
   Cortes e continuidade 93
   Adotar mais de uma criança 95
   O laço de sangue 96
   Referir-se à lei 97
   Os complexos familiares 98

Deve-se proteger uma criança adotiva de sua fratria biológica?.......... 99
A adoção como conseqüência lógica da acolhida 100
O destino é sempre diferente... 101
Ver as coisas do ponto de vista legal... 102
Por que se deve proteger uma criança de sua fratria?....................... 104
Quando a criança não viveu com os pais de nascimento..................... 105
Os significantes "irmão" e "irmã".. 106

8. A revelação 109
   A revelação: quando e por quê? 109
   Nós te adotamos.. 110
   O que o adulto esconde não é necessariamente o que a criança teme 111
   O direito de saber 115
   A verdade 116
   Dizer a verdade, sim, mas qual? 117

9. Cultura e país de origem 121
   A adoção internacional é a solução ideal para o problema de queda de natalidade na Europa? 122
   Quando o abandono se mostra em todo o seu horror 122
   Um quadro clínico grave, mas não irreversível 125
   Um destino singular 127
   Adoção, cultura, enxerto 128
   Pensar a cultura em termos de estrutura linguageira 129
   Acompanhar o desejo da criança 130

10. Em que idade se deve adotar? 133
    As três idades 134
    A família de acolhida é prioritária 135
    A família de acolhida autoriza a criança 136
    Questões narcísicas: família de acolhida, família adotiva 137

11. A criança adotiva não é uma criança "com particularidades" .. 139
    A angústia em relação ao não-conhecido 139

Esquecer que é um filho adotivo 141
Tive dois pais 143
A questão do verdadeiro 145
Uma particularidade... particular 146
Apressar-se docemente 148

12. E, no entanto, isso funciona 151

AGRADECIMENTOS

Agradeço a todas as famílias adotivas e a todas as crianças por tudo que elas me trouxeram como reflexão. Em seguida agradeço aos colegas que trabalharam comigo e me enriqueceram com sua experiência, muito particularmente a Claude Dumézil, que deu seu tempo compartilhando comigo o tempo de reflexão, e Charles Melman e Alain Vainer, pela acolhida que deram a este livro.

Cegonha e cientificidade

A cegonha parece hoje uma velha senhora muito fora de moda para explicar às crianças a chegada dos bebês. O rude positivismo que nos serve de sabedoria quer, de fato, que se lhes conte como a sementinha de papai se implantou no ventre materno. Se julgarmos uma época por seus mitos, esse a fará parecer prenhe de uma pretensão abusiva. Porque a fábula esconde da criança o essencial: que é necessária – uma vez asseguradas as condições mecânicas – ao encontro uma graça particular para torná-lo bem-sucedido.

Pouco importa que para alguns ela seja um dom de Deus, ou que ela tenha sua origem em um amor profano. Os psicanalistas têm bastante experiência sobre isso para saber que é preciso, no casal, a intervenção desse poder terceiro para acender a chama geradora.

A conseqüência não é qualquer, já que ele faz da vida da criança o dom que ele concede. Cabe aos pais, depois, aceitá-lo ou não.

Essa correção do mito corrente nos lembra que a criança é um dom e que cabe a nós adotá-la. Assim, todas as crianças passam por uma adoção, pois o peso da carne não é suficiente para fundar a existência delas. É a acolhida do casal que a fabricou que será determinante para uma criança.

Esse esclarecimento nos permite distinguir os pais reais – aqueles que encarnaram pais simbólicos – e os pais simbólicos – aqueles que adotaram a criança – e, por fim, os pais imaginários – que a criança vai sonhar ter.

Acontecem casos – e Nazir Hamad os conta com uma exatidão teórica e um gosto pela narração que nos cativam – em que esses pais não se superpõem.

O que pode vir impedir o engajamento de pais puramente simbólicos? Freqüentemente, para eles, que as circunstâncias condenaram a uma esterilidade biológica, a criança adotiva é um dom que deve ser preservado enquanto tal e que com dificuldade suporta a quota e as feridas que as realidades de seu desenvolvimento lhes querem infligir. A criança arrisca-se a ser, para eles, pais simbólicos, uma criança puramente imaginária, muito difícil de ser assumida pela criaturinha bem real que eles convidaram para tal. É inevitável que ela, de sua parte, não entenda a falta [*faute*] original de que seus pais de eleição se viram liberados — porque de início estará presente apenas a generosidade de sua acolhida —, fazendo-a recair sobre o mistério culposo de seu nascimento e sobre seus próprios ombros.

Esse enigma da origem deve ser explicitamente revelado? E quando?

Não é incomum que, no contexto oficial que estamos abordando, essa explicação sirva, de fato, mais para a liberação dos pais do que da criança e para a desculpa pelo resultado. A dimensão da falta [*faute*] original — que não diz respeito a eles, pois eles eram puro amor — ressurge então com uma força que engaja a criança na busca enlouquecida de seus genitores.

Conhecemos a decepção que surgirá de sua distância em relação aos pais imaginários que ela se atribuiu.

Rico dessas experiências acumuladas e notavelmente elaboradas, o livro de Nazir Hamad pode contribuir para nos curar desse infantilismo mental que continua a nos proteger dos problemas colocados pela filiação, que nós resolvemos de forma tão canhestra. Por aliviar esse peso, agradecimentos lhe são enviados.

Charles Melman

Introdução

O mito de Édipo serviu, para Freud, como referência em sua descoberta da estruturação do inconsciente. Ele também poderia nos ajudar na ilustração daquilo que, justamente, não se deve fazer quando se trata de adotar ou de dar uma criança para adoção. Meu objetivo não é retomar pela enésima vez o que muito já se escreveu sobre o édipo, mas pontuar-lhe alguns aspectos pregnantes, como

— a recusa do luto da esterilidade,

— a noção do pai incerto; ela adquire, no caso da criança Édipo, a dimensão da fraude materna que faz pouco do desejo de seu marido,

— a manutenção da criança na ignorância total de sua história pelo próprio fato da ambigüidade da posição materna.

O que o mito diz? Quando a criança encontrada lhe foi apresentada, Mérope simula uma gravidez e faz crer a seu esposo que a criança era seu filho biológico. Uma semelhante história é, hoje, bem pouco plausível, evidentemente, mas, graças aos progressos da ciência, nossa época moderna pode dar a um casal estéril a possibilidade de ter um filho. A ciência se tornou todo-poderosa. Permitir a uma mulher estéril carregar um filho se dá hoje sem a intermediação de divindades. A ciência ainda não destronou Lurdes, mas deixa entender e dá a ilusão de que entre ela e o céu não há mais distância. O hospital e, principalmente, os serviços de inseminação artificial, no que nos diz respeito, são as novas igrejas. O eclesiasta não usa mais a batina, mas roupa branca. A ciência, infelizmente simbolizada por alguns especialistas fundamentalistas, tem fé em suas potencialidades e promessas. Ela se interessa pelo corpo a ponto de eliminar tudo que possa representar ainda que um pouquinho de concorrência. O corpo pertence a ela e ele só tem que obedecer ao saber-fazer. E se, por um acaso, a terapêutica clássica se mostrar impotente, abriremos o corpo para dominá-lo.

Minha intenção de forma alguma é jogar fora o bebê com a água do banho. A ciência não tem que ser denunciada por seus avanços. Ela própria se condena quando tende a ocultar o desejo do sujeito na modalidade de suas interações com o vivido do corpo. Ocorre assim com essa mulher que consulta um ginecologista por causa de infecundidade. Ela se vê, depois de uma série de exames que não revelam nenhuma anomalia, numa mesa de operação para uma limpeza das trompas, com o pretexto de que essa intervenção cirúrgica só poderia facilitar a fecundação, que, muito obviamente, não aconteceu. Os médicos, então, prescreveram um tratamento hormonal.

A insistência terapêutica de alguns médicos não se dá como facilitando o trabalho do luto da criança biológica, menos ainda como remetendo o sujeito à realidade de seu desejo. O desejo do corpo, como o chama de maneira muito interessante F. Dolto, é apenas, em última instância, a descoberta do fracasso da onipotência médica. É o que, escapando à lupa e ao bisturi, remete o corpo a seu lugar: não o de uma maquinaria que obedece ao mecanismo de um funcionamento orgânico objetivante, mas, antes, o de um desejo inconsciente cujo efeito o sujeito humano descobre, na maioria das vezes, no só-depois.

Quando os exames médicos não revelam nenhuma anomalia orgânica, a questão do desejo do sujeito se coloca em toda a sua amplitude. O sujeito funciona numa espécie de clivagem em que a demanda de criança e o que ela implica de solicitação de cuidados ocultam a questão do desejo de criança. Quando, defrontado com uma tal problemática, o casal se encontra frente a um outro que só responde por um saber sobre um corpo considerado como obediente às regras do jogo, é grande o risco de ver a pessoa estéril funcionar na denegação de seu inconsciente, o que por vezes induz essa vontade de punir o corpo como se pune um aluno nulo pela mediocridade de seus resultados. "Eu aceitaria qualquer tratamento. Gostaria de que o médico infligisse a meu corpo a tortura que ele merecia", me confia uma candidata à adoção para descrever seu estado de espírito no momento em que era acompanhada por seu médico e pela equipe do hospital.

Esse quadro sombrio felizmente se refere apenas a uma minoria dos médicos, minoria que, embriagada pelos progressos científicos, tende a ocultar o inconsciente em sua abordagem terapêutica de pacientes estéreis. Ora, pressionar no plano biológico sob pretexto de que "logicamente isso deveria andar" apenas consegue embaralhar os limites entre "o que deveria" e o que do inconsciente se anuncia por seu veto. Entre "logicamente isso deveria" e a persistência da infecundidade, o desejo do sujeito fica em suspenso por falta de ser reconhecido. Quando é esse o caso, a onipotência da ciência acaba por produzir seus excluídos, seus malditos, como a onipotência divina nos numerosos exemplos de esterilidade bíblica. Sara é privada pela vontade divina. Tal pessoa, para a qual "isso deveria logicamente andar", não se vê desapossada pelos limites da medicina, mas pela vontade dessa alguma coisa que impede e persegue.

Essa dimensão por vezes se mostra na solicitação de candidatos à adoção sob a forma de uma reivindicação veemente de um filho de quem eles acham que foram injustamente privados. Eles vêm pedir reparação, de toda forma transferir a demanda para alguém que possui a criança e o poder de dizer sim. Alguns vão mais longe, chegando a escrever ao presidente da república solicitando sua intervenção pessoal. Uma solicitação que, estranhamente, lembra a esperança da menina com relação ao pai quando ela se descobre injustamente privada do pênis. Ela acusa a mãe de ser a origem dessa privação e promete a si mesma tê-lo, graças ao pai. Alguém que poderia, em nome de seu poder fálico, conceder o que pelo lado da mãe não foi satisfeito.

O que "logicamente deveria andar" só muda de centro pelo reconhecimento do que escapa ao médico e a seu paciente. Algo que põe limite ao papel de um e à demanda do outro. O trabalho do luto é inerente a essa operação de descentramento que desencarna o Outro ao colocá-lo não mais como onipotente, bom ou mau protetor, mas como destinatário que envia para cada um a verdade de sua mensagem e a de seu desejo. Só há luto possível de uma perda. Uma perda reconhecida como fazendo parte da castração do sujeito e implicando conseqüências que o põem à altura de assumir sua falta em ser.

As entrevistas psicológicas com os candidatos à adoção põem à luz esse caminho feito pelos casais, cada um dos cônjuges em seu ritmo e de sua maneira particular. O luto da criança biológica se mostra como a problemática central numa diversidade de temas que giram em torno da interrupção da transmissão do patrimônio genético, da impossibilidade de fazer um filho idêntico a si, de dar ao outro o filho do amor e, por fim, do sentimento de estar em dívida com o outro que consente em recorrer ao serviço de um doador de esperma ou de óvulo para fazer o filho que por si o casal não é capaz de fazer. A adoção implica cada um dos cônjuges num encaminhamento em que cada um deles está da mesma forma investido no projeto. Eles não estão submetidos ao real de um corpo que determina a chegada de um filho de acordo com o que a diferença dos sexos impõe como repartição das funções e dos papéis. Os candidatos à adoção são pais e mães a advir de sua própria adoção por uma criança que nunca será carne de sua carne, mas filho do desejo.

É a necessidade de estudar a posição dos dois parceiros com relação ao projeto de adoção que justifica as entrevistas psicológicas, particularmente quando o "isso deveria andar" justamente não anda; pois a verdadeira questão que se origina em semelhante impasse diz respeito ao desejo inconsciente que cada um tem por seu parceiro e pela criança. Estamos, aqui, no coração mesmo do Complexo de Édipo. Para que o Complexo de Édipo opere como uma função normativa, todas as situações familiares são adequadas, contanto que a mãe dirija seu desejo para outro que não a criança enquanto objeto de sua falta [*manque*]. Pouco importa que o pai esteja presente ou ausente; o que conta para que ela entre no édipo é que a mãe em si mesma seja castrada e introduza, na sua relação com seu filho, essa referência à palavra de um pai. Da mesma forma, que o pai manifeste seu desejo por essa mulher que é a mãe de seu filho.

Para que o édipo seja normativo, o desejo de cada um com relação ao outro é a chave da nodulação triangular, seja a criança filho biológico ou filho adotivo. Se o desejo pelo parceiro do sexo oposto vier a faltar, entramos então na monoparentalidade; não no sentido de um único pai, mas no sentido dessa modalidade do desejo que exclui o outro em seus cálculos pessoais de ter um filho. Tais situações poderiam explicar a esterilidade psicológica, talvez mesmo sejam até a razão oculta dos fracassos repetitivos de inseminações artificiais.

Se assim fosse, a adoção abriria a via para a obtenção de um filho fora do sexo, feito sem a contribuição do parceiro, ou seja, um filho miraculoso nascido de uma fantasia de auto-engendramento, como nos contos ou nas narrativas míticas que colocam esse ato na origem da humanidade. São muitas as pessoas e as culturas que atribuem suas origens a um fenômeno de engendramento monossexual com uma evolução posterior para a separação e a diferenciação dos dois sexos. A história de Eva e Adão é um exemplo disso.

Uma outra me vem à cabeça para ilustrar essa asserção: a de Gepeto, o pai de Pinóquio. Em sua carpintaria, ele se chateava. Isso é bem conhecido: quando as pessoas se chateiam, fazem filhos. A cifra recorde de nascimentos nove meses depois do corte de eletricidade em Nova Iorque autoriza essa generalização.

Gepeto estava só. Ele gostaria muito de dividir sua vida com alguém, de romper com sua solidão e dar um pouco de vida a sua carpintaria. Certo dia, teve a idéia genial de fabricar uma marionete, sonhando vê-la se tornar uma criança. Uma fada caridosa insuflou vida na marionete e os dois, Pinóquio e Gepeto, se reconheceram como pai e filho, mas nem mulher nem mãe pareciam faltar a qualquer um dos dois. O pai sonhava com um filho, mas não com uma mulher; em todo caso, ele o fez sozinho. E se a fada deu sua ajuda foi somente enquanto tinha a varinha mágica. Foi justamente com essa varinha que ela deu à criança uma alma e uma consciência moral, ou, pelo menos, acreditou nisso. Pois o guardião dessa consciência moral, o grilo falante, ficava esgotado de correr atrás do diabo desse menino para chamá-lo à ordem, mas não podia fazer nada. Pinóquio queria gozar a vida e não ligava para as recomendações do grilo e da fada. Ele se divertia em se fazer de bobo e foi justamente meio como que bobo que caiu no mar e foi engolido por uma baleia.

O que essa história quer dizer? O carpinteiro deseja a criança, mas não a mulher. Ele queria ser pai, mas não queria fazer de uma mulher a mãe desse filho. A fada dá uma alma e uma consciência moral a essa criança, que começa a viver, é certo, mas a instância moral fica em pane. Ela só se torna efetiva depois da experiência com a baleia, quer dizer, quando pai e filho renascem simbolicamente, cuspidos pelo cetáceo. Podemos pensar que o renascimento de Gepeto é a condição mesma da normativação de Pinóquio.

Se Gepeto não tem mulher, é porque também não teve mãe. Desejar um filho, para ele, não se coloca em termos de concretização de seu desejo por uma mulher, mas em termos de engendramento milagroso ou de auto-engendramento. Por que, então, a onipotência da varinha mágica fracassa diante da tarefa – no entanto, fácil – de fazer obedecer? Se há fracasso, é, primeiro, porque a varinha não pode ter uma função que a lei, enquanto inscrição, de forma alguma assegura. Ora, é essa lei, advinda de desejos recíprocos que ligam um homem a uma mulher e inscrita nessa dinâmica a dois, que se abre para a criança e a torna sujeito de seu desejo.

Édipo é o filho providencial, aquele que vem no ponto certo para sustentar a fantasia de uma mulher sem filhos. Ele se torna o filho que seu marido não consegue lhe dar. É em torno desse ponto que o não-dito adquire toda a sua amplitude. Um parceiro exclui o outro num processo de adoção em que somente a onipotência da fantasia opera.

De que fantasia se trata?

Se Mérope joga com a credulidade de seu esposo, não é pura e simplesmente para enganá-lo. Se ela simula a gravidez, é porque não está segura de seu desejo por ele para se sustentar enquanto mãe com relação a essa criança que ela tanto deseja adotar. Ser mãe de uma criança supõe uma referência implícita a um genitor, mas também ao desejo de um homem por uma mulher no momento em que esta apela a ele interrogando-o sobre seu desejo. A adoção se dá nessa equivalência entre uma criança de ti e uma criança contigo. A criança contigo nasce do luto da criança de ti. É na medida em que um tal luto se dá que a adoção pode ser contada como qualquer história de criança criada numa relação normal com seus pais. Dessa forma, o que chamamos revelação da história da criança no campo da adoção perde sua razão de ser. Não há revelação; há uma história que é vivida, que é construída, que se conta no dia-a-dia e cuja síntese será feita à medida quê.

O silêncio sobre a história da adoção se origina, de princípio, no que da história singular do sujeito, da mãe e do pai adotivos permanece delicado e, por isso, continua a dar à adoção um caráter excepcional, até mesmo problemático.

Ora, uma adoção feita logicamente, normalmente, é a história perfeita de uma criança desejada. O percurso do combatente que cada casal perfaz até seu completamento feliz nos ensina muito sobre o que chamamos o desejo de criança, desejo que o casal fecundo não experimenta do mesmo modo que o casal adotivo. Se ele é, no fundo, o mesmo, no plano do inconsciente, não resta menos que os candidatos à adoção são postos à prova de dizer sobre isso alguma coisa, até mesmo submetidos a uma série de constrangimentos que interrogam a autenticidade de seu desejo. Experiência que os casais fecundos não têm que viver. Eles se tornam pai e mãe porque a criança é feita no momento em que seu desejo comanda seus corpos.

Podemos disso deduzir que a criança adotiva é o filho do desejo, por excelência? Não acredito nisso. Simplesmente diria que, quando os candidatos à adoção vão até o fim de seu pedido, talvez seja porque seu desejo não comanda o corpo dele, mas, em todo caso, o deles não.

I

A demanda de adoção

Há um direito à adoção?

Enquanto psicólogo na ASE*, meu trabalho consistia em receber candidatos à adoção. Uma questão voltava com freqüência: há um direito à adoção? Raramente os candidatos declaravam "O Estado tem o dever", ou "Você tem o dever de nos dar uma criança para adotar", mas exprimiam seu espanto diante de um procedimento interminável, balizado por encontros durante os quais diversos interlocutores lhes colocavam mais ou menos as mesmas perguntas, ao passo que eles pensavam que, enquanto cidadãos, um filho lhes cabia, de direito. Um casal jovem (ela professora, ele engenheiro) me comunicou sua perplexidade de uma maneira comovente, decerto, mas que, no entanto, deixava entrever a amplitude do mal-entendido no qual eles foram aprisionados. O marido queria falar do que ele qualificava como injusto: "Eu sou engenheiro. Minha esposa é professora. Ganhamos bem a nossa vida. Temos uma bela casa, com um soberbo jardim no qual imaginamos crianças brincando, correndo, subindo nas árvores, colhendo os frutos ou construindo cabanas. Gostamos muito das crianças. Nossos pais nos apóiam em nosso pedido e estão prontos a acolher a criança como se fosse nossa carne. Mas eis, então, que, apesar de tudo isso, a natureza nos privou da alegria de tê-la. Outras pessoas a têm sem nem mesmo quererem. Elas até a abandonam". Depois, não sem alguma hesita-

---

* Action Sociale à l'Enfance. (NT)

ção, ele acrescenta: "E dizer que é preciso encontrar todas essas pessoas para explicar, para nos justificar e dar garantias. É ainda mais injusto porque há crianças que continuam sem família para adotá-las".

Em seu trabalho intitulado "Enfant d'ici, enfant d'ailleurs"[1], o professor Mattei dá números do ano de 1995. A ASE abrangia 90 000 crianças, sendo que se considerava que 85 000 voltariam para suas famílias, o que equivale a dizer que 5 000 crianças eram adotáveis. Ora, 65% delas não encontram família por múltiplas razões. Elas não são os bebezinhos que os candidatos à adoção procuram preferencialmente. Também não apresentam o fenótipo desejado: algumas têm deficiências, outras são doentes, ou então pertencem a uma fratria muito numerosa para ser acolhida numa mesma família.

O Estado deveria estimular a adoção?

O professor Mattei parte da idéia de que a adoção não é uma ação humanitária, o que permite escapar ao *lobbying* do tipo "direito às origens", por exemplo. Não há, para ele, direito à adoção. Não se trata nem de uma obra de caridade nem, menos ainda, de um dever do Estado. Se o Estado tem obrigações com relação a essas crianças, isso não quer dizer que ele tenha que responder a cada demanda.

Isso parece, aliás, completamente inconciliável. Entre o direito à adoção e a adoção propriamente dita há, me parece, uma distância que não deve ser ultrapassada. Primeiro, porque estamos lidando com sujeitos tomados pelo desejo de participar da formação de crianças. Todavia, a experiência nos ensina que os adotantes têm idéias, por vezes muito precisas, sobre a criança que eles desejam acolher, o que tende a relativizar a noção de dever. Depois, porque a adoção põe frente a frente sujeitos – três, na maioria dos casos – que, por sua multiplicidade, têm necessidade de se engajar cada um em seu nível e segundo sua singularidade inconsciente. Quer dizer que, em adoção, os pais não são os únicos a adotar. Desconhe-

---

[1] O professor Mattei, deputado de Bouches-du-Rhône, recebeu do Primeiro Ministro E. Balladur, em 1994, a missão de dirigir um trabalho de pesquisa e reflexão sobre a adoção.

cer esse detalhe pode coisificar a criança e reduzi-la à dimensão de uma mercadoria comum, que compramos porque está disponível. A criança também adota e, por isso, aqueles que cuidam do processo têm que zelar para que os candidatos à adoção e a criança se inscrevam mutuamente num projeto em que cada um é tanto portado como portador. É por isso que me parece mais correto falar de criança adotiva do que de criança adotada, pois é essa dimensão da adoção que por vezes escapa aos candidatos quando eles se mostram impacientes ou se queixam da lentidão de um processo eivado de armadilhas.

A injustiça denunciada por um casal só pode se inscrever na história particular dele. Os dois cônjuges praticamente não têm escolha; eles estão nisso. Mais ainda, eles têm que assumir essa particularidade a fim de que dessa queixa, dessa privação, uma falta simbólica surja, de modo que o filho adotivo não chegue como o substituto do filho original, mas como o filho do desejo e em seu próprio nome.

Já me aconteceu encontrar candidatos que haviam colocado a adoção como um direito, seu direito de ter um filho. Outros tinham levado essa lógica até o fim e escrito ao Presidente da República para solicitar seu apoio.

Um lugar para o qual dirigir sua queixa

A carta dirigida ao Chefe de Estado é enviada aos serviços competentes. Freqüentemente, trata-se de demandas bastante inocentes do tipo: o marido é arquiteto, a mulher é fotógrafa. Eles formam um casal como deve ser. Têm uma bela casa e só pedem receber uma criança sem família para abrir para ela seu lar e dar-lhe o afeto e a felicidade que ela não teve a chance de ter com seus pais de nascimento. Eles não tiveram filhos e não compreendem por que se os faz esperar há tanto tempo. Em suma, eles pedem ao Presidente que use seu poder para acelerar o procedimento a fim de que seu anseio mais caro seja realizado, enfim.

Eles encontraram a assistente social, o psiquiatra, o psicólogo, o inspetor da ASE e outros profissionais e ficaram com a impressão de que nenhum desses interlocutores se mostrou favorável a eles. É-lhes necessário, então, um lugar onde a queixa possa ser ainda acolhida.

Alguém, em algum lugar, deve, de seu lugar, responder por essa injustiça que eles sofrem. O Presidente, no caso, é colocado em posição do Outro-onipotente, último recurso ao qual se dirige a queixa quando a esterilidade, por exemplo, continua a ser vivida como uma injustiça.

Os analistas sabem reconhecer, nos sonhos de seus pacientes, o lugar do Presidente da República. Não é raro que alguns sonhem que o encontram, que lhe expõem sua maneira de pensar; ou que algumas mulheres sonhem que têm uma relação com ele. O caso do Presidente Clinton representa uma perfeita ilustração disso. Pouco importava o que se passava com Monica, o que contava era a fantasia que isso havia suscitado no mundo. Durante o tempo desse caso, Clinton não era mais Clinton, mas uma espécie de deus grego que sucumbiu ao charme de uma mortal e que soube satisfazer seu desejo com ela. O Presidente pode ter esse lugar na fantasia. Ele é a um só tempo pessoa física e uma função a meio caminho entre pai e Deus.

São casos particulares. Há também aquele – pouco freqüente, mas que ocorre – do casal fecundo que demanda uma adoção e espera tão impacientemente quanto um casal estéril. Voltaremos a isso mais adiante.

Por que se associam psis aos dispositivos de acolhida de candidatos?

Associando psiquiatras e psicólogos aos dispositivos de acolhida, as DDASS* querem, de algum modo, dispor de meios para melhor conhecer os candidatos à adoção e suas motivações conscientes e inconscientes. Para os que intervêm no processo, trata-se de selecionar, não no sentido de decidir sobre a aptidão ou não de um casal, mas, antes, em termos de uma escolha que convenha tanto à criança quanto a sua futura família. Em outras palavras, eles devem considerar as sensibilidades e as expectativas existentes de uma parte e de outra. São essas preocupações que justificam o dispositivo instalado.

O psiquiatra e o psicólogo são conduzidos a receber os candidatos à adoção, a escutar a demanda deles e relatá-la às equipes envolvidas na apro-

---

* Direction Départementale de l'Action Sanitaire et Sociale. (NT)

vação. Eles não estão inscritos da mesma forma no dispositivo de acolhida. O psiquiatra trabalha como profissional liberal e seu nome figura numa lista que a ASE fornece aos candidatos. Ele é aceito pelas DDASS enquanto especialista ao qual os candidatos se dirigem e cuja opinião favorável é necessária para a continuação dos procedimentos. O psiquiatra dá, no seu relato, sua opinião sobre a validade ou a não-aceitabilidade de uma demanda. Mas, globalmente, trata-se mais de uma formalidade que de uma prova eliminatória, pela simples razão de que o psiquiatra, pelo fato de seu pagamento, é convidado a não multiplicar excessivamente os encontros com os candidatos. Portanto, não há o tempo necessário para conhecer bem um casal e aprofundar com ele os poucos fragmentos de informação obtidos. Na maioria das vezes, ele se contenta com uma análise geral da história dos candidatos e só emite uma opinião desfavorável quando a patologia de um casal se mostra evidente. Os psiquiatras formados na escuta psicanalítica têm tendência a prestar atenção no que se diz entre as linhas e algumas vezes a se posicionar, dirigindo a atenção dos casais para alguns aspectos problemáticos da demanda deles, convidando-os a retomar o trabalho a partir do que é percebido como prejudicial à acolhida de uma criança. Cabe a eles assumir a responsabilidade pela seqüência que dão a seu procedimento.

O psicólogo da ASE, por outro lado, deve se pronunciar a favor ou contra e argumentar sobre sua decisão, pois os candidatos têm o direito de contestar sua opinião e exigir uma contraprova. Ele participa de uma equipe constituída por assistentes sociais, educadores e funcionários administrativos. Pode ocorrer – e não é raro – que os diversos membros da equipe de aprovação não cheguem às mesmas conclusões. Assisti a algumas reuniões bastante conturbadas, que levaram a novas entrevistas com os candidatos. Dar uma solução nem sempre é fácil, simplesmente porque o fato de dizer sim ou não a uma candidatura nem sempre se apóia em argumentos irrefutáveis.

A formação analítica evita, parece-me, para o psicólogo cair no saber sobre as pessoas e, portanto, na hierarquização desse saber. O psicólogo tem uma outra escuta e, a partir dessa outra escuta, ele deve fazer os candidatos e seus colegas ouvirem algo daquilo que, nas entrevistas, foi ouvido de uma parte e de outra.

Existem critérios de seleção?

Coloca-se a questão da existência de critérios mais ou menos precisos que desenhariam o perfil ideal de um casal de candidatos.

A obra de Clément Launay, M. Soule e S. Veil publicada em 1978[2] serviu como referência para os trabalhadores sociais e para os diversos organismos ou associações envolvidas pelas adoções. Os autores destacaram traços que, uma vez reunidos, fazem aparecer um casal tipo que é descrito da seguinte maneira: casado e unido, relativamente jovem, menos de cinqüenta anos. Ele é estéril e deseja, em comum acordo, adotar uma criança de pouca idade. Deve ficar claro que a criança é acolhida por eles como se fosse filho de sua própria carne. Eles devem aceitá-la como ela é, respeitando sua história e sua pessoa, fazê-la conhecer o mais cedo possível que é uma criança adotada e criá-la segundo as possibilidades intelectuais dela.

Recomendações que só podemos subscrever. Mas minha posição de psicanalista me levaria a ir mais longe e a ter uma escuta diferente.

No contexto da ASE, eu recebia, portanto, postulantes, geralmente depois de seu encontro com o psiquiatra. De certa forma, eles estavam rodados. Com muita freqüência, não viam a diferença entre o psiquiatra e o psicólogo, sobretudo quando um e outro lhes colocavam as mesmas perguntas. Então eles comentavam, um pouco cansados: "O psiquiatra já nos perguntou isso e nós lhe respondemos que...". A entrevista com o psicólogo dava uma impressão de *déjà-vu*; eles tinham tendência a voltar a aspectos da entrevista precedente para exprimir insatisfações ou aprofundar o que pensavam ter abordado mal antes. Algumas vezes, se instalava uma espécie de prolongamento da primeira entrevista. Descobria-se, então, que os postulantes tinham encontrado algo de seu inconsciente graças à escuta do psiquiatra, ou, ao contrário, que categoricamente passaram ao largo do essencial.

Essa "segunda entrevista", com o psicólogo, mostrava-se um tanto ou quanto parasitada pela primeira, na medida em que o casal tinha a impres-

---

[2] C. Launay, M. Soule e S. Veil, *L'Adoption. Données sociologiques et sociales*, Paris, ESF, 1978.

A DEMANDA DE ADOÇÃO

são de já ter passado por um interrogatório na boa e devida forma. "Faça-nos perguntas", diziam eles, "senão não saberemos o que dizer. O outro nos fez muitas perguntas". Ou, ainda: "O outro senhor nos perguntou isso ou aquilo, nós não compreendemos por quê".

Eu não perguntava; escutava e, de vez em quando, sublinhava tal ou qual ponto. A idéia era deixar-se dizer e deixar-se surpreender. De repente, as pessoas se exprimiam de outra forma, para surpresa de um ou dos dois cônjuges ao mesmo tempo. Eles se olhavam espantados e diziam "De ver-dade?", o que às vezes os fazia rir...

Aconteceu-me receber candidatos ainda sob o efeito negativo do en-contro precedente com o psiquiatra. Eles sabiam que era uma etapa neces-sária em seu percurso, mas mesmo assim haviam esquecido de ser pruden-tes, deixando transparecer seu mau humor. "Mas por que é preciso falar com toda essa gente? Se pudéssemos fazer um filho normalmente, não terí-amos que nos justificar". Depois, os dois se olhavam inquietos antes que um ou outro soltasse: "Você entendeu o que o psiquiatra nos perguntou?".

Pouco importa o que o psiquiatra disse ou não disse; essa posição deve ser entendida porque os candidatos vêm defender para nós os seus direitos, mas também depositar suas queixas.

A revista *Enfance*[3] publicou um artigo de uma psicóloga intitulado: "Algumas reflexões sobre critérios psicológicos de seleção". A autora, Anne-Claude Duvert, tem o mérito de chamar gato de gato. Ela expõe os fatos claramente em termos de seleção e fala, particularmente, de um momento de maturação nos postulantes que permite dizer se eles estão ou não pron-tos para receber uma criança. Esse momento tem relação com a possibilida-de, para cada um, de superar a ferida narcísica ligada à descoberta da esteri-lidade, o que implica o luto do filho do patrimônio genético.

Tanto essa reflexão parece pertinente quanto os critérios nos quais ela se apóia permanecem frouxos. Pude constatar, recebendo postulantes cuja candidatura tinha sido recusada, que o sim e o não muitas vezes só tinham a ver com a lógica da pessoa que os emitira; poder-se-ia, com a consciência tranqüila, pender para um lado ou para o outro.

---

[3] Anne-Claude Duvert, "Quelques réflexions autour des critères psychologiques de sélection", em *Enfance*, nº 5-6, setembro de 1994, pp. 27-30.

Algumas conseqüências inesperadas suscitadas pela rejeição de candidatura

O que é terrível é que os casais tendem a viver as coisas em termos de normal e anormal – para não dizer patológico. Esses termos adquirem então toda a sua amplitude, no vivido subjetivo dos postulantes. Em outras palavras, o que no princípio era uma questão que dizia respeito à normalidade se transforma, no vivido da rejeição da candidatura, na confirmação de sua anormalidade. Uma senhora, após uma recusa, comentou o seguinte: "Isso agora me parece normal. Se a natureza quis que eu não tivesse filho, é porque há uma razão coerente. Pela recusa da ASE de dar continuidade a nosso pedido, você vem confirmar-nos isso".

Contrariamente a outros colegas, as reações sensíveis me parecem participar de um processo de luto em curso. O mais importante é dar a essas reações o tempo e os meios de se dizerem e se fazerem ouvir. É o retorno dessas queixas aos que as formulam que determina, por fim, a verdadeira natureza de suas reações. Quando esse retorno tem como efeito mudar um pouquinho a natureza de seu discurso, os candidatos se mostram sob uma outra luz.

Quando alguma coisa da fragilidade de um casal, de seu sofrimento, se deixa ouvir, é porque ele está muito confiante para que essa fragilidade tenha uma chance de ser dita. O casal sólido, refletido e decidido que se estampava no início do encontro pouco a pouco se eclipsa dando a palavra aos sujeitos postos à prova narcisicamente. Eu escuto suas respectivas histórias, suas queixas – quanto à esterilidade, por exemplo – e penso que o luto se faz aos pedacinhos, ali onde a escuta, a disposição de receber permite uma elaboração. E, quando a formulação é viva ou canhestra, eu me permito ouvi-los novamente. É essencial ouvir novamente os candidatos, porque, quando o inconsciente está ativo, eles dificilmente permanecem no mesmo lugar de um encontro para outro. É justamente essa possibilidade que me é dada – muito mais que ao psiquiatra – que me autoriza a dar tempo, a deixar que a demanda se elabore, a caminhar com os candidatos e a tomar a decisão com eles.

Quando nos damos o tempo de ouvi-los, somos forçosamente levados a relativizar a noção de critérios. Trata-se de ajudar os candidatos a compreenderem que nosso papel não consiste em contrariar seu percurso, mas, simplesmente, em dirigir a atenção deles para aspectos que poderiam representar um obstáculo à integração da criança em seu novo contexto e para as capacidades dos pais de oferecerem a ela um acolhida "suficientemente boa", para retomar as palavras de Winnicott.

Em outras palavras, trata-se de reenviar-lhes, com tato, o que ouvimos, suas posições recíprocas em relação ao procedimento de adoção ou em relação a seu desejo de criança e ao lugar que cada um ocupa no que se refere ao desejo. Não se adota uma criança para agradar o marido, ou a mulher. Não regularizamos a questão da dívida com relação ao outro, em caso de esterilidade, por exemplo, oferecendo-lhe um filho que não podemos fazer para ele.

Quando eu percebia que minha análise não se coadunava com a deles, convidava os candidatos a procurarem alguma outra pessoa. Se eles não tinham conseguido se fazer entender, a causa não necessariamente lhes era imputável. Talvez isso estivesse relacionado a minha resistência pessoal. Notei que uma semelhante posição não os chocava, ao contrário. Os colegas contatados por esses mesmos candidatos me telefonavam depois, e discutíamos o caso. Era interessante porque havia sempre coisas que passavam despercebidas a um ou a outro. Algumas vezes, os candidatos mudavam de opinião, renunciavam à adoção ou desejavam adiar sua data.

É preciso ponderar as respostas

Não é fácil fixar critérios que constituiriam referências objetivas. Assim procedendo, arriscamo-nos a esvaziar as entrevistas de toda originalidade. Não se pode, não se tem o direito de rejeitar uma demanda sem se dar o tempo de ouvir os candidatos. A escuta de candidatos está à frente de qualquer outro critério, não o contrário. Mulher sozinha, pessoas idosas, casal homossexual... São muitos os temas que aparecem nas discussões entre colegas e suscitam reticências quanto à seqüência a dar.

Pertencentes a quadros superiores ou exercendo uma profissão liberal, algumas mulheres tiveram uma vida profissional muito ocupada, ou simplesmente não encontraram o homem que pudesse tornar-se, em seu desejo, o pai de seu filho. Elas descobrem, após a menopausa, que é muito tarde e nos procuram para adotar uma criança. Também vemos casais de uma certa idade, juntos há pouco tempo, que querem adotar uma criança a fim de consagrar sua união de alguma maneira, fundando uma família. Casais homossexuais procuram a adoção para normalizar a relação deles e constituir uma família com crianças a quem legar seu patrimônio após a morte.

Eis alguns exemplos não-exaustivos de demandas que podem não obter satisfação. Ora, se me parece importante ponderar nossas respostas, é porque há, por trás de tudo isso, elementos psíquicos a serem desvelados, elementos que poderiam nos guiar quanto ao caminho a seguir. Querer um filho depois da menopausa nada tem de escandaloso se as entrevistas não revelarem uma relação particular com a sexualidade como o desejo de ter um filho fora do sexo, ou, ainda, como uma recusa do homem. A menopausa é uma castração ainda mais dolorosa para uma mulher quando ela não tem filhos. A adoção poderia ser uma forma, para ela, de não permanecer e morrer sozinha, ou seja, de continuar narcisicamente agora que o real vem lembrá-la dessa inelutável data: a morte. Querer adotar nesse momento é uma reação perfeitamente legítima. Nos nossos dias, a esperança de vida parece colocar sob tensão essa realidade, na medida em que muitos vivem na solidão, para não dizer no isolamento.

É a mesma coisa para um casal idoso. Tudo depende da idade da criança e do entorno familiar que ele poderia oferecer ao filho posteriormente. Diversos argumentos são apresentados para desaconselhar a colocação de crianças muito pequenas com pessoas em idade de serem avós. O problema diria respeito às dificuldades que a criança crescida, o adolescente jovem, ou o adolescente encontraria para se identificar com pais velhos. A situação ameaçaria parecer-lhe completamente afastada da realidade, ou, simplesmente, de sua realidade de rapazinho. Essa questão relativa à identificação remete a uma problemática particular da castração, pois as crianças criadas por um casal idoso são defrontadas com falas marcadas por um distanciamento do referente fálico. Nessa idade, justamente, esse referente significa menos o sexual que a morte.

É muito diferente a reticência provocada pela homossexualidade. Aliás, ela não é compartilhada por todos os profissionais. René Frydman, na oportunidade de uma discussão sobre seu último livro[4], sustentava uma posição que ele qualificava tanto de profissional quanto de humana. Para ele, a esterilidade é um sofrimento que é preciso combater e, assim, se dizia pronto a responder a toda demanda. Ele não via por que recusaria a de mulheres que viviam como casal homossexual que pediam um doador de esperma. Para ele, essa demanda é tão aceitável quanto qualquer outra, na medida em que tão humana quanto qualquer outra. Aliás, quem poderia garantir a felicidade de uma criança?

---

[4] R. Frydman, *Dieu, la médecine et l'embryon*, Odile Jacob, 1997.

2

O Pacto Civil de Solidariedade

Os dois eixos de fratura

O debate tumultuado que o Pacto Civil de Solidariedade suscitou ilustra a dificuldade, para todos, de se posicionar quanto a sua sexualidade e a seu gozo. Como falar desse problema sem cair no extremo, como aconteceu com a deputada Christine Boutin, brandindo seu argumento último, a Bíblia, num gesto de anjo exterminador, face aos "Sodoma e Gomorra" que os homossexuais representariam? Essa senhora, no entanto, só disse bobagens durante toda a sua fluente intervenção na Assembléia Nacional. Sua referência aos textos bíblicos chegou como um ato falho que iria revelá-la o quanto seu discurso não a revelou. Seu gesto exprimia o horror que a crente que ela é sente diante dessa prática ímpia. O PACS dividiu a França segundo dois eixos tradicionais: esquerda-direita e crentes-ateus. Catherine Tasca, reagindo à estranha polêmica levantada por essa proposta de lei, cai, por sua vez, no mesmo veio. Ela colocou sua posição de deputada de esquerda à frente de tudo, em nome de princípios, a seus olhos, fundamentais e universais, que são a liberdade, a solidariedade, a dignidade das pessoas e o Estado de Direito. "Será uma questão de honra da esquerda", escreve ela, "levar a cabo tal reforma". Depois, pretendendo-se segura, ela acrescentava: "Quanto aos homossexuais, isso não representará para eles uma etapa possível no sentido da adoção e da procriação medicamente assistida. Nós escolhemos – como quase todos os países europeus que, bem antes de nós, já adotaram uma legislação para as uniões registradas – excluir essa perspectiva, pois continuamos a querer para a criança uma filiação de um pai e uma mãe[5]".

A partir daí, nem que desagrade a Catherine Tasca e à esquerda, a experiência mostra que nada pode impedir a vontade dos casais homossexuais de se casarem e se tornarem pais recorrendo às diversas técnicas que o progresso científico colocou a serviço do cidadão. Os homossexuais obtiveram o direito de se casar civilmente. A Igreja, ao menos na Europa do Norte, perdoou Sodoma de seus antigos pecados e tentou recuperar o tempo perdido selando casamentos antes julgados diabólicos. Recentemente, o tribunal internacional de La Haye deu razão a um casal homossexual, contra as leis nacionais, numa questão de inseminação medicamente assistida realizada na Bélgica.

Essa evolução não deve nos espantar. C. Tasca, aliás, não exclui o risco de ver o afã de solidariedade se transformar em legitimação da homossexualidade. "É claro que o PACS será um reconhecimento, um direito de cidadania para os casais homossexuais. A esquerda não escondeu isso".

A esquerda legítima autoriza o casamento de homossexuais, mas não quer compreender que esse reconhecimento induz o direito de fundar uma família, ou seja, de ter filhos. Doravante, nada mais impedirá àqueles que o desejam a concepção de uma criança nos serviços hospitalares que, por todo o mundo, têm como única preocupação a experimentação e a rentabilidade. Mais nenhum país europeu consegue se opor a semelhante prática. *Le Monde* de 3 de janeiro de 2000 relata a história de um casal de homossexuais que utilizou os serviços de uma barriga de aluguel nos Estados Unidos para fazer dois falsos gêmeos. A mulher recebeu dois óvulos, cada um fecundado por um esperma diferente. Cada homem tinha, assim, seu óvulo, quer dizer, seu filho potencial e era, portanto, o primeiro pai da criança concebida pelo óvulo fecundado com seu esperma e o segundo pai da outra criança. Nove meses depois, os felizes pais desembarcaram na Inglaterra com sua progenitura e só encontraram uma dificuldade: ela dizia respeito à nacionalidade das duas crianças e ao direito de fazê-las entrar no país de Sua Majestade sem passaporte.

---

[5] *Le Monde* de 10 de outubro de 1998.

O Pacto Civil de Solidariedade

Essa invenção do segundo pai é compartilhada pelas mulheres mães que vivem num casal homossexual. Uma jovem mãe veio assistir com sua companheira e um bebê às Jornadas organizadas, em 1999, por associações homossexuais, em Paris. Um sinal de seu bebê a fez compreender que ele tinha fome e ela lhe deu então o seio. Um colega, surpreso, lhe perguntou a idade de seu filho, uma certa maneira de começar a conversa, e eles se puseram a conversar. Ele compreendeu que ela era a primeira mãe da feliz criança que tinha uma segunda, a moça sentada perto dela.

Essas Jornadas, das quais participavam oradores vindos de diversos lugares, lançaram luz sobre uma questão cara aos psicanalistas, pois o que ela põe em jogo é estrutural. Trata-se do simbólico como valor universal regendo a identidade sexual e as modalidades de troca. Participantes e público se referiram a esse registro afirmando que, em sua abordagem da criança, o outro do outro sexo era parte integrante de seu discurso: há um pai, há uma mãe, há uma história e essa história continua com os pais da realidade, que levam em conta a pré-história assim como a história do nascimento de seu filho.

É o amor que educa as crianças, dizia-se para significar que um casal homossexual é tão dotado de sentimentos paternos e maternos quanto um casal heterossexual. Sustentar o contrário, afirmar que é a referência à diferença dos sexos que estrutura a criança se origina na homofobia dos analistas, particularmente dos lacanianos, a propósito dos quais é corrente ouvir que instauram o nome do pai em lugar e posto de Deus.

Quando os psis se metem nisso

Vou me contentar aqui com a retomada de alguns artigos de analistas publicados na imprensa. Nos dossiês do *Monde*, encontramos dois pontos de vista inteiramente contraditórios. Tony Anatrella, claramente opositor do PACS, escreve em 10 de outubro de 1999: "Na verdade, o PACS é sustentado por um discurso perverso, porque ele utiliza os concubinos para melhor dissimular a institucionalização da relação homossexual. No entanto, não é possível abordar a homossexualidade do ponto de vista social da mesma maneira que no plano individual". E, para explicar-se, expõe os argumentos seguintes: "A inversão das realidades em que atualmente estamos é significativa da negação da diferença dos sexos, da qual a homossexualidade se tornou o emblema. A homossexualidade está na moda porque é testemunha da liberação da obrigação dos dois sexos em nome da fantasia do sexo único do período pré-edipiano. Assim, somos 'pais' antes de sermos pai e mãe, ou seríamos 'humanos' antes de sermos homem e mulher. Essa visão humanista esquece que o humano e o pai não existem. Só há homens e mulheres, pais e mães. Nós nos encaminhamos para uma sociedade de assexuados que nega o sexo e a simbólica dos sexos".

Num outro artigo, publicado em 15 de outubro de 1999, Michel Tort defende uma posição inversa. O autor aparentemente busca a provocação ao intitulá-lo "Homofobias psicanalíticas". Para ele, a homofobia aparece justamente ali onde os psicanalistas põem na frente a ordem simbólica e a diferença dos sexos. Ele descreve essa ordem como sendo um "estuário histórico onde confluem Lévi-Strauss, Lacan e o direito positivo da família"; ele constata, de passagem, que dois mil anos de cristianismo foram abalados pela passagem ao público do que era estritamente privado e pela vontade de levantar o véu dos aspectos inexplorados da filiação e do parentesco. E tudo isso, prossegue ele, sobre um fundo de misoginia e homofobia. Ele acrescenta, sob o modo da reprovação em relação a seus confrades, que não nos devemos espantar ao vermos os homossexuais rejeitarem os psicanalistas, estando dada a posição hostil de alguns. Essa observação é surpreendente ao vir da parte de alguém que se acredita aberto e que recusa ser estorvado em seu trabalho por certezas rígidas, até mesmo errôneas.

Ele parece confundir o engajamento num debate essencial, que toca a estrutura mesma da família, em geral, e do indivíduo, em particular, e o sofrimento legítimo de um homossexual. Extrapolando, eu diria que os analistas, se seguirmos a lógica de M. Tort, não deveriam participar de nenhum debate sob pretexto de que sua posição poderia afastar aqueles que não compartilham dela. Ele age como se Freud nunca tivesse abordado os problemas socioculturais que tanto chocaram e chocam ainda o corpo social e a ordem estabelecida. Ele conclui: "Longe de nos condenar a sofrer as normas que nos assujeitam, esses requestionamentos da ordem simbólica nos encorajam a usar a liberdade política, a debatê-las, para confirmá-las, por vezes, mas também, com mais freqüência, para reformulá-las, até mesmo substituí-las".

Michel Tort é o mesmo de sempre. Ele retoma um tema que lhe é caro. Partindo da idéia de que a estrutura familiar clássica está ameaçada pela evolução cultural, a referência paterna, a solução paterna só seria uma visão religiosa, mais exatamente cristã, que Lacan reatualiza com sua teorização concernente ao nome do pai. Na revista *Logos Ananké*, ele desenvolve um postulado totalmente duvidoso: ou bem "os psicanalistas mantêm que o édipo se define estruturalmente por essa ereção da figura paterna, mas é preciso então encarar que toda a evolução das sociedades atuais obstaculiza esse processo"; ou bem "o édipo é um processo histórico. O que tem a vantagem de preservar a possibilidade de uma função subjetivante nas sociedades atuais, mas obriga então a reagrupar, sob o mesmo nome 'édipo', formações históricas bastante heterogêneas"[6].

Eis o que é singular. Segundo ele, não haveria mais lugar para o pai como referência em nossas sociedades contemporâneas, ao passo que nunca se falou tanto em revalorizar a imagem e a função paterna diante da evolução da lei do mercado. Impasses, as sociedades conheceram e conhecerão ainda muitos, sem que, por isso, o que se chama "salvação paterna" se veja destruído. Basta pensarmos nos regimes totalitários que, em níveis diversos, queriam exterminar as referências familiares tradicionais em proveito do grupo, do Estado ou da ideologia promovida a valor universal. Nesse sentido, o exemplo de J.-J. Rousseau é edificante, particularmente quando ele declara, em suas *Confissões*, ter confiado seus filhos à Assistência Pública por fidelidade ao espírito de *A república*, de Platão; ele julgava o Estado mais capaz de educar seus filhos que ele, pai cheio de defeitos.

Em seu segundo "ou bem", M. Tort não se engana*, entretanto, ao concluir que, se há historicidade, uma evolução vale tanto quanto uma outra e, afinal, a lei do mercado vale tanto quanto a lei inerente ao édipo.

Ele apenas retoma em seu nível a polêmica que opôs outrora Santo Agostinho e os maniqueístas em torno dos conceitos de tempo e eternida-

---

[6] *Logos Ananké*, 1999, "La solution paternelle", pp. 61-2.

* Jogo de palavras, em francês, entre o sobrenome do autor em questão e *tort*, na expressão *avoir tort*, que significa "enganar-se". (NT)

de e de tempo e verbo antes da Criação. Como a eternidade se tornou historicidade? O que Deus fazia antes da Criação? Santo Agostinho escapa disso por um efeito de retórica. O fato de que Deus tenha criado o céu e a terra deixa entender que antes ele não fizera nada. É correto se supusermos que o advento do mundo não pode ocorrer no tempo, mas, antes, com o tempo. Em outras palavras, a historicidade se inscreve na eternidade e as duas estão intimamente ligadas[7].

É o que explica que Adler, não captando onde Freud queria chegar com sua hipótese sobre o assassinato do pai da horda primitiva, o tenha pressionado para que decidisse, de uma vez por todas, o que estava no princípio, o recalque ou a cultura, pois que Freud sustentava, ao mesmo tempo, que é preciso que haja cultura para que haja recalque e que é preciso que haja recalque para que haja cultura.

Santo Agostinho organizou o que Adler parece não compreender quanto a uma anterioridade necessária para que o conjunto funcione, ligado que ele estava à escolha necessária, o ovo ou a galinha. Segundo ele, verbo e Deus são inseparáveis. No começo foi o verbo: "Porque Deus é o começo. O *logos* é a expressão de Deus e o agente da Criação"[8].

Lacan introduz o *logos* onde santo Agostinho o coloca, na origem, mas, como Freud antes dele, ele é confrontado com o vazio, com o furo. Ali onde o religioso introduz uma referência divina, Lacan põe um lugar, o lugar do Outro, lugar de onde nossa mensagem nos retorna para, ao mesmo tempo, nos inscrever no laço com nossos semelhantes por intermédio da linguagem falada e nos significar, para nosso grande desespero, que não há garante. O humano tem que lidar com essa falta para se situar quanto a seus semelhantes e quanto a sua identidade sexual.

É a linguagem que nos estrutura; ela nos estrutura na medida em que faz laço e dá referências que nos ajudam a nos encontrar – desconfortavelmente, é certo – quanto às gerações e à diferença dos sexos. Esse desconforto parece incomodar M. Tort, ou melhor, ele não quer "mal-estar na civilização" no lugar onde Freud o situa, quer dizer, enquanto falta que preside à estrutura; M. Tort quer a caça onde só vê sombra...

---

[7] Santo Agostinho, *La Cité de Dieu*, vol. 2, livros XI a XVII, cap. II, Seuil, 1982.

[8] Ibid., p. 26.

Se é interessante evocar essa polêmica nesse trabalho sobre adoção, é porque esse mesmo mal-estar enfeixa a questão da origem. Um pai genitor, uma mãe genitora deram nascimento à criança adotiva, mas isso é suficiente para constituir um pai ou uma mãe? Os filhos adotivos nos interrogam sobre o porquê e o como de sua adoção e de sua separação dos pais biológicos. Esse questionamento é freqüente. Em nome de que ou de quem um indivíduo ou um grupo de indivíduos se autoriza a romper o laço natural, o laço de sangue, para instaurar um outro? O que legitima um laço de parentesco, um grupo familiar, quando não se trata de laço de sangue? Por que um homem que não é o genitor se torna pai? E por que um pai biológico cessa de sê-lo? Um valor outro transcende os dois estatutos – pai biológico, pai adotivo –, permitindo a um homem investido na realidade da criança ocupar a função paterna? Eis aí o famoso nome do pai de Lacan revisitado pelos filhos adotivos.

Sempre me recusei a responder a essas perguntas, propondo sempre que fossem buscar a resposta em sua experiência pessoal, no que os leva a dizer e crer que sua família adotiva é sua verdadeira família e que seu pai ou mãe adotivos são os verdadeiros pai ou mãe.

Quanto à adoção por um casal homossexual, é uma situação com que não me deparei; portanto, eu não saberia avaliar os efeitos no futuro de uma criança. Por outro lado, recebi mulheres sozinhas como candidatas à adoção. Algumas delas porque não tinham encontrado o homem com o qual poderiam ter feito um filho. Outras porque queriam criar uma criança sozinhas, como uma mãe solteira. Elas imaginavam fazê-lo à imagem de tantas famílias monoparentais que não são necessariamente piores ou mais patológicas que as que são ditas normais.

O que é uma verdadeira monoparentalidade?

Escutando essas famílias, eu me perguntei sobre o verdadeiro sentido de expressões como "família monoparental" ou "função parental". Elas sofrem deslizamentos incessantes até se tornarem, com freqüência, uma espécie de saco de gatos onde o sentido desgarra ou se afoga. Pois, se aceitarmos a idéia de que uma família monoparental é aquela que é composta por um pai ou uma mãe que cuida sozinho(a) de seus filhos, colocamos no mesmo plano uma mulher sozinha que não quer fazer um filho com um homem que ela deseja e uma mulher que cria sozinha seu filho após uma separação do pai. Esses dois casos exemplares nos ajudarão a compreender o que é a monoparentalidade.

A monoparentalidade, a verdadeira, remete à estrutura psíquica do adulto que exclui, em seu cálculo, o outro sexo, antes de ser uma questão de homem ou de mulher sozinho(a) com seu filho. Esse foi o caso de uma moça candidata à adoção que nunca tinha conhecido nenhum homem e que não se via vivendo com um homem. Desconfiada em relação aos machos, ela passeava com um saco de pimenta em pó como arma de dissuasão destinada a desencorajar os violadores potenciais. Era um saco que sua mãe lhe havia dado na oportunidade de uma viagem à Inglaterra quando ela era jovem e do qual ela nunca mais havia se separado. Ela compartilhava com sua mãe o ódio por seu pai, particularmente, e pelos homens, em geral. Ela queria um filho, mas não um homem; sobretudo, não queria repetir o erro de sua mãe, quer dizer, ter um homem e ser infeliz até o fim de sua vida.

É um caso caricatural, decerto, mas ele diz muito sobre a monoparentalidade quando esta implica, além do ódio pelo outro pai, o ódio pelo outro sexo. E é essa, na minha opinião, a dificuldade para as crianças. Não é a homossexualidade dos pais que pode determinar a escolha sexual delas na idade adulta, mas, antes, o que se lhes inculca. A experiência nos falta, é verdade, mas outros exemplos poderiam nos ajudar a ver mais claramente essa questão.

Abordemos o caso da identidade sexual da criança. Sabemos que não é determinada pela anatomia. Os transexuais estão aí para nos lembrar dessa verdade da maneira mais cruel. Eles estão seguros de sua identidade sexual, são os únicos a saberem que são homem ou mulher, pouco importa o real de seus corpos. Todo mundo sabe, não somente os analistas, que criar um menino no desejo de que ele seja uma menina implica conseqüências dramáticas para o futuro homem a advir. Qualquer que seja a virilidade de seu pai, isso não muda nada dos efeitos que o desejo dos pais produz na estrutura do filho.

Numerosos trabalhos foram consagrados à identificação da criança com seus pais dos dois sexos. A quem a criança poderia se identificar quando o lugar do homem é ocupado por uma mulher? O que se torna o significante estruturante "papai", ou "mamãe"? A experiência nos ensina que a ausência real do pai ou da mãe não retira nada de seu valor de significante em sua estruturação e na referência a sua história. Ela é capaz de se apoiar no entorno a fim de construir seus mitos individuais assim como seu romance familiar. Nós observamos, com efeito, que papai e mamãe se integram no discurso da criança, tenha ela os conhecido ou não. A função paterna ou materna não é sinônimo de pai ou de mãe biológicos; ela é o apanágio daqueles ou daquelas que representam um papel importante na vida da criança. Pensemos em A. Camus, por exemplo.

A dinâmica psíquica que permite a uma criança criada em creche de abrigo* construir suas referências poderia ser idêntica à da criança concebida e criada por um casal homossexual? É difícil responder. A homossexualidade de um pai ou de uma mãe não é determinante quanto à evolução da identidade sexual dos filhos, disso os testemunhos não faltam. Muitos homens e mulheres descobriram, no só-depois, que seu pai ou sua mãe era homossexual, sem que isso tenha influenciado num sentido ou noutro a escolha do objeto sexual neles. A homossexualidade comporta riscos a partir do momento em que não é uma simples tendência que afeta a natureza da escolha do objeto sexual, isto é, quando implica o discurso fundador de um grupo outro, de um grupo ativo animado pela vontade de inculcar em seu seio a rejeição do outro sexo ou a renegação da diferença dos sexos. É justamente essa posição que dá ao que chamamos função parental sua tonalidade particular. Como falar de função parental num cenário em que o proselitismo a arrebata do necessário recuo que nos é necessário quando a criança nos questiona sobre a especificidade de sua história e daquela de seu entorno imediato? A função parental poderia se tornar uma função única que um homem ou uma mulher poderiam ocupar da mesma forma.

---

* A palavra em francês é *pouponnière*, que se refere a um local onde ficam as crianças bem pequenas, dia e noite. É também usada para o berçário de maternidades, na expressão *pouponnière de la maternité*; optamos por traduzi-la com a expressão "creche de abrigo", usada pelos profissionais que trabalham nessa área, tendo alguns termos (como "orfanato", por exemplo) caído em desuso entre eles. (NT)

Qual é o papel do legislador num campo que, para além de seu aspecto público, se origina no privado, até mesmo no íntimo? Como qualificar a posição do governo na condução do debate e na orientação que lhe dá? A posição de C. Melman sobre esse ponto me parece esclarecedora no que se refere à definição mesma da noção de casal e de família.

O governo mantém, no PACS, uma posição normativa, na medida em que o casal é posicionado confortavelmente frente à lei. Em outras palavras, frente à lei, ocorre um arranjo prático que permite contabilizar a vida a dois em perdas e lucros. Para se manter, o casal precisa de uma instância terceira, um *ménage à trois*, de toda forma. O terceiro é o Outro, o terceiro simbólico, que, pela falta por ele introduzida na estrutura, faz com que o casal se torne tolerável. Um casal só pode viver ao abrigo da paranóia sob a condição de que este terceiro lá esteja.

O que está em jogo quando o Estado se preocupa em normalizar e legislar sobre o que se refere ao sujeito em sua relação com sua identidade sexual e seu gozo? Assim agindo, eludimos as questões colocadas pelo sexo, pela diferença entre os sexos, para, por fim, agir como se tudo fosse equivalente. A relação do homossexual com sua imagem narcísica e seu esforço para escapar à diferença entre os sexos equivalem, aos olhos do legislador, aos de um sujeito que reconhece sua falta em sua confrontação com o outro sexo. Quando assim queremos normativar o desejo de escapar à confrontação com o outro, com a falta, é a questão da castração que é ocultada. Devemos nos surpreender, então, ao vermos surgir, nesse lugar, o desejo de castrar o pai – cuja função é velar, de uma geração a outra, pela transmissão do dever de garantir a reprodução?

É preciso nuançar as afirmações

Trata-se, portanto, quando a demanda emana de um casal homossexual, de uma questão particular. Todavia, se falo de homossexualidade em geral é para não designar um casal preciso. Aconteceu-me encontrar casais constituídos por uma ex-esposa com filhos e uma outra mulher sem filhos. As crianças fizeram terapia comigo e posso dizer que elas têm um édipo e fantasias heterossexuais como qualquer outra criança da idade delas. O importante é o lugar deixado para o pai ou para a mãe no discurso do pai ou da mãe da realidade cotidiana. A referência feita ao parceiro do outro sexo como sendo o homem ou a mulher na direção de quem ia o desejo no momento em que se esperava o filho é simbolicamente estruturante para ela. Nesse caso, a criança é criada nos significantes "pai" e "mãe" referidos ao homem e à mulher que representaram e continuam a representar um papel importante na economia psíquica dela. As dificuldades, para uma criança que fosse criada por um casal de pais do mesmo sexo, viriam desses significantes que, apesar de designarem as funções, não diferenciam os sexos. A referência simbólica não é redutível à ação consciente que consiste em dizer à criança – nascida graças à doação de esperma, por exemplo – que há um pai biológico; a referência simbólica funciona quando, justamente, ela deixou suas impressões na estrutura inconsciente dos pais ou do entorno direto da criança. Quando os significantes "pai" e "mãe" não referem mais a função ao sexo, é justamente a ordem simbólica que se arrisca a padecer disso. O exemplo que poderia nos ajudar a compreender o que chamo de desarranjo da ordem é o do incesto. Fazer um filho com sua filha, sua mãe ou seu filho é de natureza a afetar gravemente a linhagem e os laços de parentesco. A estrutura do parentesco, tal como a conhecemos e como sempre foi conhecida, está longe de ser perfeita, é certo, mas o ser humano não está próximo de inventar uma outra.

3

O projeto de adoção

No meu início na ASE, recebi um casal jovem que desejava adotar uma menininha. Quando os interroguei sobre o projeto deles, os dois trocaram um olhar embaraçado, depois o marido acabou reconhecendo que não tinham nenhum; eles queriam uma menininha simplesmente porque não tinham filhos. Essa resposta me lançou, por minha vez, num extremo embaraço. De repente, eu não sabia mais o que eu entendia por projeto e, conseqüentemente, o que exatamente eu queria saber. Foi-me necessário um certo tempo até me refazer e reenquadrar a entrevista. A partir dali, aliás, toda vez que esse termo é empregado – e o é com muita freqüência –, a propósito de candidatos à adoção, me parece ainda que nem sempre se sabe o que exatamente ele recobre.

O socorro me veio de uma mulher jovem que começou a falar de sua esterilidade e de seu desejo de dar um filho a seu marido: o filho que ela não podia fazer, mas que, entretanto, estava pronta a acolher e a criar como se fosse carne da sua carne. Eles estavam de acordo, após madura reflexão.

Eis, portanto, o que se chama um projeto: uma intenção comum, um ato que implique dois parceiros num engajamento solidário. Essa definição, no entanto, deve ser manejada com prudência. A idéia de que um projeto consiste em uma intenção comum poderia induzir que os dois cônjuges estão implicados da mesma forma e que as fantasias inconscientes que regem as escolhas de um são também as que regem as do outro. Pior ainda! Isso poderia significar que o casal é essa "unidade diádica" cara ao universitário emérito, especialista em família, cujo nome não citaremos... "Um conjunto diádico complementar de tipo passivo e ativo, yin e yang", "núcleo projetivo", ou, ainda, "laço amoroso marcado por uma intenção de duração...". Haveria razão para reinventar a relação sexual introduzindo a magia poética de Aristófanes, as duas metades de um corpo originário que se encontram.

O casal não é uma pessoa

Quando recebo os postulantes, não me dirijo ao casal como a um conjunto que anula a diferença entre os cônjuges num discurso racional do tipo: "Nós pensamos juntos e queremos...". Sempre levo em consideração as duas pessoas que, apesar do que elas chamam de seu projeto comum, são regidas, cada qual, pela dinâmica de seu inconsciente. Pode-se ouvir o discurso de uma mulher que exprime seu desejo de dar o filho que ela não pode fazer para seu marido com o mesmo ouvido que o discurso do marido quando ele declara, por exemplo, "Eu não quero que minha mulher sofra com a idéia de que não pode me dar um filho"?

Não se trata do mesmo sentimento de dívida, nem da mesma culpabilidade; e, no entanto, um e outro afirmam que pensaram juntos.

Ainda que o casal seja unido por uma fantasia cuja concretização, de todo modo, é representada pelo projeto familiar, ocorre, entretanto, que a acolhida de uma criança, seja ela filho biológico ou não, tem uma ressonância diferente no nível da mulher e no nível do homem, mesmo que intencionalmente, conscientemente, os dois assegurem que agirão como se o filho fosse deles. Ora, se eles empregam "como se", não há dúvida de que esse modo de emprego obedece a leis que escapam a suas intenções estabelecidas.

O lugar do sujeito na economia do casal

Como regra geral, é difícil falar de filho sem levar em conta seu lugar na fantasia dos pais. Aliás, de que exatamente se fala quando se diz homem e mulher, para além do registro passivo e ativo? Se uma mulher representa um compromisso possível do desejo do homem por sua mãe, um homem é um homem para uma mulher? É verdade que uma mulher reconduz seu amor para um homem; nesse sentido, ele representa um compromisso do desejo de uma mulher por seu pai, que não é, entretanto, seu primeiro objeto de amor. Homem e mulher têm um primeiro objeto de amor comum, a mãe. Nada podemos compreender sobre a mulher, adverte Freud, se negligenciamos essa fase de fixação pré-edipiana à mãe[9].

Parafraseando Freud[10], eu diria que menino e menina entram de modo diferente na castração. Para o menino, essa entrada ocorre com a descoberta da diferença entre os sexos e o medo de perder o membro viril. A menina, ao contrário, quando descobre seu prejuízo, não se resigna e continua a esperar ver-se dotada de um pênis. Essa inveja vai se apoderar dela e deixar marcas que poderão determinar seu lugar na economia do casal e no investimento da criança. Essa inveja do pênis é convocada a encontrar sua equivalência simbólica na criança que ela carregará, nas condições normais, o que não ocorre sem um grande esforço psíquico. De fato, é-lhe preciso um esforço muito maior que o exigido do menino, já que ela deve, redirigindo seu amor para o objeto paterno, mudar de zona erógena.

Esse redirecionamento do amor para o pai pode ser traduzido de duas maneiras: um ódio pela mãe injusta, que a filha considera como responsável por sua infelicidade, e a esperança renovada de se ver carregando um filho, filho substituto da falta, mas, desta vez, de seu pai.

Ora, a economia do casal se constitui precisamente dessas particularidades edipianas. Nunca haverá o Casal, díade ideal cara a Aristófanes. Somente o filho, como diz F. Dolto[11], unifica o casal em um ser "papai mamãe" que só se separa depois do édipo. Em outras palavras, um pai só advém como terceiro com a castração relativa ao édipo, de onde decorre, então, a nodulação simbólica que estrutura os laços familiares.

A escuta dos postulantes que falam de seu projeto de adoção implica, para além da história singular de cada um, a identificação do que de seu desejo de criança, de sua fantasia inconsciente, de sua estrutura se desvela nos interstícios de seu discurso.

---

[9] S. Freud, "Féminité", em *Nouvelles Conférences*, Gallimard, pp. 174-5.
[10] Ibid., pp. 169-70.
[11] F. Dolto, *Séminaire de psychanalyse d'enfants*, Paris, Seuil, 1982, p. 126.

A adoção se faz por três gerações

O lugar dos avós adotivos me parece muito importante. Por seu apoio aos pedidos de seus filhos, eles fazem mais que dar sua bênção; eles inscrevem a criança adotada na cadeia das gerações. Assim, os postulantes não têm que lidar sozinhos com a hereditariedade familiar, aquela que quis que um homem ou uma mulher fosse estéril. Quando escutamos os postulantes com atenção, ouvimos isso se formular claramente: "Temos o direito de ir contra?", ou, ainda, "Temos o direito de forçar a natureza?". Essa inibição, face ao destino, às vezes se traduz por reações de temor diante do não-conhecido. Forçar a mão da natureza, ir contra é como se abríssemos a porta a toda espécie de imprevistos. "A natureza poderia se vingar de nós". Mas evocar a natureza é outra maneira de falar de seus pais. A causa da esterilidade deve, talvez, ser buscada em sua história. Uma falta [*faute*] escondida, uma maldição, alguma coisa, em suma, que encontra sua expressão no real do corpo deles.

Nesse sentido, vem-me à cabeça a história dolorosa de um postulante que se tornou estéril porque seus pais não fizeram o necessário quando o médico constatou que os testículos de seu filho não haviam descido. Ele era incapaz de dar uma mínima explicação para a recusa dos pais de cuidar dele. Aceitava esse estado de coisas como uma particularidade cujo enigma era representado pela vontade de não cuidar dele. Se seus pais agiram assim, era, então, porque alguma coisa nele era a chave desse enigma. Mas como interrogar seu corpo?

Com muita freqüência ocorreu-me ouvir casais que não tinham informado seus pais sobre seu desejo de adotar uma criança: "Nós ainda não falamos com nossos pais. Não sabemos como eles vão reagir". Depois, como que para banalizar a coisa, eles acrescentavam: "Afinal, esse será nosso filho, nosso".

Esse "Afinal, esse será nosso..." podia significar duas coisas:

"A decisão é nossa. Assumimos com ou contra a vontade dos nossos pais". Ou, ainda: "A natureza já não nos favoreceu. Ainda por cima vai ser preciso que briguemos com nossos próprios pais?". Em outras palavras, os pais não têm nada a ver com essa história e se, além disso, eles não concordam com nosso projeto... No fundo, é como se os pais insistissem em privá-los de crianças.

A esterilidade era vivida, de imediato, como uma interdição decretada pelos pais e qualquer desobediência ameaçava produzir graves conseqüências.

Adotando, de sua parte, o projeto de adoção de seus filhos, os avós potenciais de alguma forma suspendem o interdito que atinge esses filhos. Eles tomam, assim, para eles, uma parte do não-conhecido e, assim fazendo, exorcizam a má sorte.

Em certos casos, por diversas razões, as crianças adotadas não foram bem acolhidas pelos avós. Citarei alguns, que me parecem representativos. Alguns se opunham porque avaliavam que seus outros filhos não aceitariam necessariamente conceder um lugar aos recém-chegados que não vieram da linhagem e partilhar com eles o patrimônio familiar. Outros tinham dificuldade de se identificar à criança de cor que seu filho acabara de adotar. Para eles, não se tratava de racismo, mas, antes, de uma característica nova com a qual a família tinha que lidar, quisesse ou não. Por família, eles entendiam tios, tias e primos. A seus olhos, todos se encontravam diante de um fato acabado: ter que se acostumar com um membro novo, muito inesperado.

Nessas condições, os pais adotivos estão condenados a ficar sozinhos com seu ou seus filhos, até mesmo a defendê-los frente a avós relativamente hostis, sob o risco de uma ruptura, se eles persistirem na rejeição da criança adotada. Evidentemente, é o interesse da criança que prevalece.

As sensibilidades dos candidatos

A sensibilidade dos avós não poderia ocultar a dos próprios pais adotivos. Que fazer frente aos candidatos que insistem no sexo da criança a adotar ou em seu fenótipo? Em geral – isso não é um segredo –, os postulantes têm uma preferência por uma criança bem nova, de tipo europeu. Essa escolha pode adquirir dimensões indecentes, como mostrou um documentário recente sobre o tráfico de crianças nos países da América do Sul[12]. A criança mais procurada e, portanto, mais cara é uma menininha loura de olhos azuis.

---

[12] Op. cit..

Essa preferência priva uma certa categoria de crianças da possibilidade de ser adotada. Segundo os trabalhos do professor Mattei, são alguns milhares a não apresentar o perfil ideal que facilitaria sua adoção.

Deve-se, assim, falar de racismo quando se exprimem essas reservas a propósito de um país, de uma cultura ou de uma cor de pele?

Eu observei algumas reações que deixavam transparecer um real mal-estar. Casais – que se defendiam dizendo não serem racistas, do que não duvido – diziam: "Se não queremos adotar uma criança negra ou norte-africana é para evitar-lhe defrontar-se e nos defrontar com o sofrimento em relação à sua eventual discriminação". Ou, ainda: "Temos medo de descobrir que nos falta coragem para fazer frente a uma situação de rejeição à sua presença".

Deve-se concluir que esses postulantes seriam potencialmente racistas e rejeitar, conseqüentemente, sua demanda?

As associações de famílias adotivas, os organismos nacionais e internacionais que se ocupam da adoção colocam a adoção em termos de cultura de vanguarda. Para eles, as famílias adotivas estão construindo o mundo de amanhã. Um mundo aberto, no qual as crianças que sofrem, as crianças privadas de seus pais de nascimento encontrarão um lar para além das fronteiras nacionais, porque, para além dessas fronteiras, outros pais estão prontos para oferecer-lhes seu lar e seu coração. Segundo as estatísticas oficiais, em 1995, as famílias francesas adotaram 3 000 crianças de origem estrangeira, que vieram de 58 países[13].

Essa visão do futuro talvez tenha a ver com a utopia. Se os candidatos à acolhida vão buscar as crianças para adotar em países por vezes distantes, é porque o número de crianças adotáveis na França só satisfaz a demanda parcialmente. Deve-se deduzir disso que esse caminho poderia relativizar definitivamente a questão da diferença, seja ela de religião, de cultura, ou de fenótipo? O tipo europeu, vimos, continua a ser o mais procurado, mas é preciso reconhecer que a maioria dos adotantes tem, sobre a origem étnica, uma atitude infinitamente aberta. É excepcional ouvir, na formulação

---

[13] As cifras são dadas pela Senhora Lucette Michaux-Chevry, ministra representante na Ação Humanitária e nos Direitos do Homem, num discurso publicado em *Enfance*, nº 1-2, fevereiro de 1995.

da demanda, alguma conotação racista. Na maior parte das vezes, a cor da pele ou a etnia da criança a adotar são evocadas numa reflexão mais geral sobre as possibilidades concretas e reais de integração dessa criança. Integração desejável no contexto ao mesmo tempo familiar e social no qual ela será chamada a viver.

A questão religiosa comporta uma dimensão de angústia que pode cristalizar o estatuto que terá a criança adotada em relação à comunidade à qual os pais se ligam, para além mesmo de seu próprio engajamento afetivo. A preocupação religiosa só se refere, entretanto, a uma minoria de casais, para quem a religião é um valor fundamental.

A cor da pele é sentida de modo diferente de acordo com a região, o meio social, o nível cultural e a solidez psicológica dos adotantes. No fundo, a qualidade da identidade da criança adotiva, qualquer que seja sua origem e, com mais forte razão, se ela é diferente, depende do modo como ela é inserida na linhagem psicológica de seus pais adotivos.

Também há o caso mais raro de famílias européias de cor branca que, pelo fato de sua história, têm uma ligação particularmente forte seja com a África, seja com a Ásia. O passado colonial da França fez com que a cultura, para um certo número de seus pertencentes, fosse atravessada por influências estrangeiras. É assim que, na geração de 25-30 anos, os postulantes não somente aceitam, mas desejam adotar uma criança africana, das Antilhas, vietnamita, ou, de forma geral, asiática. Julgar suspeito esse desejo seria desenvolver uma suspeição sistemática de tipo paranóico. O discurso sobre a diferença deve ser ouvido, parece-me, como uma manifestação, entre outras, a um só tempo de uma ética pessoal e de uma ética concêntrica das gerações. A população dos adotantes, pelo fato da reflexão à qual seu ato os conduz, mostra que o racismo, na sua forma mais odiosa, é incompatível com a própria idéia da adoção.

4

A escolha da criança

Os postulantes exprimem de maneira direta e às vezes indireta, vimos, sensibilidades que devemos levar em conta. Freqüentemente têm uma idéia precisa quanto ao sexo e à cor de pele da criança que desejam adotar. Por vezes afirmam não ter preferências e estarem prontos para adotar a criança que for proposta a eles.

Todavia, se levarmos adiante a análise dessas demandas, observaremos que as escolhas ou as não-escolhas implicam os candidatos naquilo que eles têm de mais íntimo. Querer uma menina, por exemplo, porque "é mais fácil de criar que o menino", ou "porque a menina entra menos em rivalidade com o pai", deixa entender que, atrás da escolha consciente, algo da verdade psíquica dos candidatos se deixa ouvir, algo que se refere à estrutura edipiana dos futuros pais.

Querer "um bebezinho" porque "os maiores já têm seu caráter formado" nada tem de particularmente problemático, a menos que o "pequininho" seja a folha sobre a qual se poderá escrever sua própria história. Ora, é justamente disso que se trata, me parece, quando os candidatos demandam "um bebezinho para criar à nossa imagem".

O pedido, por isso, é de natureza patológica? Não, pois cada um é capturado narcisicamente pelo projeto de um filho, seja ele biológico ou adotivo. Essa posição, entretanto, apresenta um certo risco para a evolução da criança se o desejo de "criar à nossa imagem" induzir uma vontade de apagar sua história ou de supor que nada de sua pré-história de sujeito é digno de sua história de filho inscrito em sua nova filiação. Isso parece mais preocupante ainda quando essa mesma vontade de fazer tábua rasa do passado esconde o medo de uma tara hereditária familiar que poderia ressurgir ao primeiro incidente de percurso.

"Disseram-nos que seu pai era alcoolista e que sua mãe não tinha residência fixa. Nós nos perguntamos se o álcool e o estado da mãe não estariam, de alguma forma, presentes nas dificuldades atuais dessa criança". "Dessa criança", não de "nossa criança", é a observação típica que anuncia um certo afrouxamento nos laços pais-filhos que, de imediato, é preciso receber como uma primeira vacilação no processo de adoção. O que se diz, aliás, dos pais biológicos que, em toda oportunidade, dizem frases do seguinte gênero: "Você está vendo o que seu filho ou sua filha está dizendo ou fazendo?". É tão corrente que não se poderia qualificar isso de patológico; também não significa uma recusa de paternidade ou de maternidade. Essa reação é testemunho do investimento narcísico desapontado dos pais biológicos, mas tudo fica novamente em ordem e o narcisismo quebrado retoma seu impulso, graças, justamente, à capacidade da criança de voltar a ocupar seu lugar de criança rainha na fantasia dos pais.

Essa comparação é ao mesmo tempo justa e claudicante. Pois, se a reação dos pais se mostra de maneira idêntica, não deixa de ser verdade que a criança adotiva, em caso de crise, não submete o narcisismo dos pais à mesma prova. O risco de se demitir subjetivamente, atribuindo as causas do problema de uma criança à hereditariedade biológica alheia é muito maior.

A escolha cultural

Em geral, as questões que dizem respeito à origem cultural ou étnica de uma criança ou de seus pais não são anódinas. Uma questão não tem sua resposta na cabeça daquele que a coloca; ela tem uma história e uma seqüência. É interessante se debruçar sobre o que essa interrogação veicula. Ela está do lado aparente do *iceberg*. A mãe é muçulmana? É judia? Será que sua origem religiosa será determinante na evolução da criança?

Interrogar-se sobre a religião da mãe não deixa de ter relação com a imagem que se tem da religião do outro num dado momento. Como o islã, o budismo, ou qualquer outra religião são vividos pelo candidato? Ora,

A ESCOLHA DA CRIANÇA

seria justamente isso que poderia, num momento ou noutro, retornar na história da criança e de seus pais adotivos. Em outras palavras, pode-se temer que o patrimônio cultural dos pais de nascimento venha barrar a transmissão do patrimônio cultural dos pais adotivos.

Sem dúvida, esse temor é parcialmente apoiado em projeções imaginárias. Todavia, inquietar-se com uma eventual mãe muçulmana pode também estar ligado ao fato de que, na adoção, em geral conhecemos a mãe biológica, ao passo que o pai biológico raramente é identificado. Podemos acrescentar a isso o fato de que, entre as crianças que são adotáveis na França, grande parte delas vem da comunidade magrebina que vive na França ou na África do Norte, vindo as jovens mães parir sob X* e dar seus filhos à adoção.

Há, também, por trás do interesse dirigido à origem das crianças, um efeito do discurso social. Falar de efeito de moda pode ser mal apreendido se não desenvolvermos melhor nossa afirmação. As guerras ou as catástrofes que atingem alguns países e deixam muitos órfãos mobilizam a solidariedade internacional, inclusive as famílias candidatas à adoção. Os acontecimentos dramáticos recentes abriram diversas oportunidades de adoção. Foi o caso da Romênia, da Iugoslávia e do Líbano. O discurso sobre o sofrimento das crianças durante essas guerras insensatas produziu um afã de solidariedade que se traduziu por um desejo de adoção entendido como um meio de pensar suas feridas. Se essa mobilização nacional, associativa ou individual, parece inteiramente justificada e humanamente necessária, o discurso social pode provocar um efeito de moda ao dar uma percepção favorável de alguns povos que pertencem a uma determinada zona geográfica num momento preciso. Assim, as crianças asiáticas foram muito procuradas. A palavra "asiático" parece remeter ao dinamismo extraordinário do Japão, à inteligência e, enfim, à imagem da adaptação bem-sucedida dos imigrantes originários do Extremo Oriente. Alguma coisa funciona como um ideal de perfeição de que essas crianças são investidas.

A televisão e o cinema podem igualmente desempenhar um papel determinante na escolha dos candidatos. Arnold, uma criança negra adota-

---

* Na França, há uma lei que permite o parto anônimo, denominado "sob X", que enuncia a incógnita sobre o nome da mãe. O autor comentará o parto "sob X" em capítulo posterior. (NT)

da por uma família branca, herói de uma novela de televisão, suscitou, por seu bom humor e sua inteligência, mais de um amor parental.

Além disso, há o efeito contrário, algumas crianças que se hesita adotar, particularmente as crianças norte-africanas. Nós vimos disso um exemplo típico; ele mostra o peso de um discurso social desfavorável a uma cultura ou a uma etnia. Trata-se de um casal de candidatos que não queria adotar uma criança de origem magrebina porque se considerava incapaz de enfrentar a campanha racista dirigida contra essa comunidade.

A partir do momento em que um discurso social favoreça ou desfavoreça um grupo, há necessariamente um efeito de discurso e um retorno desse discurso sobre os cidadãos simples, que não se sentem bastante fortes para afrontá-lo com um ato tal como a adoção de uma dessas crianças. São eles, por isso, racistas? Não; eles estão aprisionados por esse discurso, como muitos outros. Ora, se ele se mostra eficaz, é porque há identificação, até mesmo uma identificação dupla. Essa ideologia triunfa quando não é mais necessário usar termos racistas para designar aquele que é estigmatizado, ou, ainda, quando este se identifica com esse discurso.

O peso da História

A França é um país profundamente marcado por seu passado colonial; disso encontramos os vestígios nos prejulgamentos mais correntes. Assim, o olhar dirigido à África do Norte está ligado às seqüelas da guerra da Algéria, ao passo que as relações com a África negra guardam a lembrança longínqua da escravidão. A Ásia do Sudeste, particularmente a antiga Indochina, goza, ao contrário, há algum tempo, de uma espécie de aura. A demanda bastante excepcional que observamos pelas crianças dessa parte do mundo é a prova disso. Talvez seja porque a guerra do Vietnã apagou na consciência coletiva a lembrança da guerra da Indochina. No que chamamos consciência ou memória nacional, o Vietnã não está sobrecarregado com esse peso dos afetos ligados à luta pela independência algeriana.

O entusiasmo dos adotantes pelas crianças vietnamitas se explica, sem dúvida, pela lembrança, transmitida por pais ou avós, das boas relações franco-indochinesas antes da independência. A guerra foi mais clássica que na Algéria. Não se pode evocar Dien Bien Phu sem reconhecer o valor dos combatentes. O conflito não terminou no opróbrio recíproco como foi o caso da Algéria, no qual havia uma espécie de amputação recíproca, em que terrorismo e tortura eram a regra.

A questão algeriana está longe de estar cicatrizada em muitas consciências, ao passo que não se guarda nenhuma amargura nem rancor com relação à ex-colônia indochinesa.

A referência ao Outro sagrado

Essa análise não seria completa sem o ponto de vista religioso, a referência ao Outro sagrado e a uma relação com a verdade, ou, ao menos, com uma certa verdade. Quando se fala dessas duas antigas colônias, as conotações são diferentes. Por outro lado, quando se trata da França cristã e da Algéria muçulmana, as referências são as mesmas. A herança é comum, o monoteísmo: um Deus único, interditos compartilhados e dogmas próximos. Cada corrente religiosa é portadora de valores, com freqüência os mesmos, acomodados segundo as necessidades locais.

Para dizer cruamente, há, de um lado, o povo eleito, do outro, o amor pelo Cristo como única eleição válida e, por fim, um Mensageiro que veio corrigir os erros e perfazer as mensagens de seus predecessores. Com isso, como um espírito de tolerância poderia reinar? Há, na França, uma resistência cristã à implantação do islã no país e no Ocidente? É um choque narcísico difícil de ser assumido por uma civilização que se pretende universal. A presença do judaísmo é mais antiga. O mundo cristão teve ampla ocasião de se confrontar com ele, de rejeitá-lo, de combatê-lo e, finalmente, de aceitá-lo. O islã deve ainda dar suas provas, convencer de seu pacifismo e da originalidade de sua mensagem. A imagem do islã remete com muita freqüência ao subdesenvolvimento e a uma violência que, de tempo em tempo, atinge cegamente.

A França parece não saber como gerir a implantação de uma cultura e de uma prática religiosas diferentes em seu seio.

Laicidade e inclusões religiosas

Introduzir a noção de referências significa, para um analista, fazer a diferença entre o que chamamos a referência ao Outro enquanto lugar de onde nossa mensagem nos volta de forma invertida e a referência ao Outro sagrado da religião. Na religião, o Outro é designado como ponto de origem reivindicado e apresentado segundo as necessidades do grupo religioso. Postular um ponto de origem não ocorre sem que se produzam choques com o outro, o semelhante que, porque é suposto como partilhando essa origem, levanta o problema da legitimidade. Ora, na medida em que a referência ao Outro sagrado apaga qualquer noção de dívida simbólica, o encontro só pode ser explosivo. Com efeito, quanto mais a referência ao Outro da onipotência se exprime em termos de proximidade e de legitimidade, mais a recusa do outro, do suposto diferente, é integrada na dinâmica do grupo. Rejeitar o outro equivale, de toda forma, a recusar a pequena diferença que as diversas referências ao Outro sagrado introduzem e, por isso, relativizam e encetam como figura ideal.

Isso se traduz, no que nos diz respeito, pela impossibilidade de adotar uma criança que não seja da mesma religião. Certo que se trata de casos extremos, mas que se justificam pela referência ao sagrado.

Para um analista, essa referência pode funcionar do lado do simbólico? Uma parte de meu trabalho analítico consiste, justamente, me parece, em desalojar essas inclusões religiosas inconscientes para dar lugar ao Outro, um Outro laicizado, de maneira a fazer decair esse Outro ideal a fim de que ele tome seu lugar de terceiro, de Outro técnico. O Outro técnico deve ser entendido como Lacan o definiu, como lugar da palavra, da palavra não no sentido da palavra sagrada, mas, muito simplesmente, técnica. Aquela que faz funcionar a interlocução entre eu e o Outro. Esse trabalho d'epuração* me parece essencial para manter minha função de analista.

---

* Em francês, *d'épuration*, provável referência a *épurer/dépurer* (depurar, purificar, expurgar) e *épure* (épura). (NT)

Dois pontos de vista de especialistas religiosos

A maior parte dos candidatos que encontrei era cristã laica e, com menor freqüência, casais católicos praticantes que inscreviam a criança a adotar na visão que eles tinham da religião e da vida. No que se refere aos candidatos de origem muçulmana ou judia, minha experiência é completamente marginal e não me permite analisar sua especificidade em matéria de adoção. Foi por essa razão que me dirigi a dois especialistas religiosos.

Um rabino, a senhora Bebe – a quem calorosamente agradeço por sua acolhida e pelo tempo que ela generosamente me dispensou –, me falou do encaminhamento de adoção na religião judaica. Quanto à religião muçulmana, foi o juiz da Beqaa no Líbano, Senhor Maes, um sunita, que me recebeu e me deu o ponto de vista do islã.

A adoção na religião judaica

Na religião judaica, a adoção coloca mais ou menos os mesmos problemas; entretanto, com algumas particularidades que se enrijecem ou se relativizam em função do peso das tradições no cotidiano de cada um. A posição varia, segundo o meio seja ortodoxo ou liberal.

Dizer-se liberal implica conseqüências no plano da ética pessoal e comunitária. Adotar uma criança se origina, em primeiro lugar, na escolha do casal; a criança adotada se torna judia como a criança biológica, quer dizer, graças às cerimônias de Aliança.

A posição ortodoxa é muito mais restritiva. Já que só é judia a criança nascida de uma mãe judia, isso acarreta, no melhor dos casos, a conversão da criança adotiva, conversão que às vezes pode ser recusada.

Para os liberais, é a lei do país de origem que determina o procedimento de adoção, ao passo que, para os ortodoxos, é a tradição. De onde, nesse caso, a necessidade de falar com o rabino e de obter sua concordância. A adoção de uma criança de fora da comunidade permanece como um horizonte, para os liberais. Seu estatuto depende da idade de sua entrada em contato com a comunidade. Se esse contato se dá tardiamente, a criança segue um curso de iniciação à religião como condição para sua conversão.

A criança nascida sob X, a criança "ilegítima", a criança "mamzer" provoca algumas reservas ligadas à ignorância total de suas origens. O risco seria, por exemplo, o de que ela se case com seu irmão ou com algum outro membro de sua família mais próxima. Esse temor não é exclusivo da religião judaica; essa fantasia incestuosa se encontra com freqüência na criança separada de sua história e de seu entorno.

A criança "mamzer" dá origem a numerosos debates. A tradição gostaria de que essas crianças se casassem entre elas. Os liberais, também em nome da Bíblia, se opõem a essa prática. O cuidado deles é o de evitar que o erro dos pais recaia sobre os filhos. Foi justamente o estatuto do "mamzer" que introduziu a tradição matrilinear na religião judaica. Na origem – e segundo os textos bíblicos –, uma criança judia é aquela nascida de um pai judeu. É verossímil que a ascendência materna tenha sido instaurada com a intenção de integrar as crianças nascidas de mães judias numa época em que muitas delas foram violadas pelos soldados romanos. Era uma maneira de evitar – para a comunidade e para as crianças "mamzers" – ver-se diante de um problema ao mesmo tempo doloroso e complexo; entretanto, a filiação não se reduz a uma transmissão uterina, pois a transmissão da cultura continua a ser um negócio de homens, ainda mais na medida em que a mulher não é admitida nessa função, ao menos pelos ortodoxos. Os liberais, ao contrário, reservam à mulher um lugar igual ao dos homens.

A família se mostra como o núcleo de base da transmissão e da coesão comunitária. O que, de toda forma, exclui os celibatários e os casais sem filhos. A criança se transforma, portanto, em fundadora, na medida em que, por sua presença, ela constitui família e, ao mesmo tempo, laço com a comunidade.

A esterilidade coloca o penoso problema da exclusão social. Ela pode ser interpretada, até mesmo vivida como um sinal particular do céu, como uma maldição, por exemplo. São muitos os exemplos na Bíblia. A suspensão da esterilidade pode intervir na saída dessa prova para significar ao crente o final de sua travessia do deserto. Deus volta a dar, assim, à mulher que passou pelas provas, seu estatuto de mãe e transmissora.

A transmissão constitui a essência mesma da filiação. É ela que constitui família. Um rabino pode, com efeito, considerar seus alunos como seus filhos, pois ele instaura, pela transmissão, uma filiação simbólica. A transmissão, então, seria de natureza a relativizar a noção de direito do sangue. A palavra que veicula uma mensagem, que inicia, que educa ou edifica, representa o coroamento da estrutura familiar e comunitária.

A adoção e a religião muçulmana

O islã proíbe a adoção. Essa proibição remete à imutabilidade do nome próprio. Uma criança, uma vez reconhecida e nomeada, não muda mais de nome, mesmo que haja uma dúvida sobre sua filiação biológica. A dúvida não é suficiente para recolocar em causa o reconhecimento de uma criança; é necessária uma prova irrefutável para privá-la de seu direito à filiação. Isso só se produz em casos extremos. Uma filiação é, geralmente, difícil de recusar, pois ela advém, ao mesmo tempo, do direito civil e do sagrado. Dar seu nome a uma criança não é um ato livre de um homem. Ele implica a família na medida em que é a uma família que se é afiliado, mas a noção ultrapassa o laço de sangue. Os crentes são os membros de uma grande família fundada na fé e na referência ao Profeta. Somente a ele cabe legislar e decidir no que se refere aos crentes, a suas almas, a suas famílias, a seus parceiros e suas mães. Estamos, aqui, no campo de uma paternidade espiritual.

Um outro fator intervém nessa difícil questão do nome próprio: os noventa e nove nomes que o islã atribui a Deus e que são, a um só tempo, também suas qualidades. São "os belos nomes". O crente é nomeado, justamente, com esses nomes. É-se filho de. Peguemos, por exemplo, o nome do antigo presidente do Egito, "Gamal Abd el Nasser", "Gamal o Adorador do Deus que dá a vitória". Essa paternidade espiritual torna impossível o questionamento da legitimidade.

Eis o que diz o Corão, no versículo XXXIII, intitulado "Os confederados":

"Deus não deu dois corações ao homem; ele não deu a vossas esposas o direito de vossas mães, nem a vossos filhos adotivos os de vossos filhos. Essas palavras só estão nas vossas bocas. Somente Deus diz a verdade e dirige pelo caminho reto.

Chamai vossos filhos adotivos pelo nome do pai deles, isso será mais equânime diante de Deus. Se não conheceis os pais deles, que eles sejam vossos irmãos na religião e vossos companheiros; vós não sois culpados se não sabeis; mas é um pecado fazê-lo com ciência. Deus é pleno de bondade e de misericórdia.

O Profeta ama os crentes mais do que eles amam a si mesmos; suas mulheres são suas mães. Seus pais serão mais honrosamente citados no livro de Deus do que aqueles que combatem pela fé e que emigraram, mas todo o bem que fizerdes a vossos próximos será nele escrito".

Esses versículos podem parecer enigmáticos se não se reconhecer neles a alusão a uma história de adoção, singular decerto, mas suficientemente séria para que Deus tenha decidido se meter nisso. Trata-se, justamente, de um dos primeiros casos de adoção no Islã. O Profeta havia adotado Zeid Ben Haritha. Pouco tempo depois, ele se casou com Zeinab Bent Djahish, a própria mulher de seu filho adotivo. Era uma boa ocasião, para os descrentes, de atacar o Profeta que havia tomado a mulher de seu filho como esposa. Deus, nesses versículos, vem em socorro de seu Mensageiro: "Chamai vossos filhos adotivos pelo nome do pai deles...". A polêmica foi tão candente que, de acordo com alguns historiadores e especialistas, foi depois desse incidente que a adoção foi proibida no Islã.

Uma outra adoção é também célebre, a de Ziad Ben Abih, Ziad o Filho de seu Pai, pelo califa Moawiya. Ele era chamado Filho de seu Pai porque seu pai era desconhecido. Sua mãe, uma tal de Soumaya, tinha deitado com um jovem rumi*. Dessa união nasceu um dos homens mais hábeis da história da dinastia dos Omeyyades. Moawiya, que ansiava ganhá-lo para sua causa reconhecendo-o como irmão, pediu a um dono de albergue que dissesse que tinha sido ele quem tinha fornecido a Abou Soufiane, quer dizer, ao pai de Moawiya, a moça que se tornou a mãe de Ziad. Graças a esse testemunho, Ziad pôde ser reconhecido como o irmão do Califa, mas a posteridade só guardou seu primeiro nome, Filho de seu Pai.

A comunidade entendida como uma família no sentido amplo não é o único feito do Islã. Numa passagem muito eloqüente da Epístola aos

---

* Nome que é dado pelos muçulmanos aos cristãos, aos europeus. (NT)

Gálatas, a filiação é colocada enquanto filiação divina. Em nome dessa filiação, nada diferencia rico e pobre, ou mestre e escravo. Diz-se que "Deus envia seu filho, nascido de uma mulher, nascido sujeito da Lei, a fim de salvar pela redenção os sujeitos da Lei, a fim de nos conferir a adoção filial".

Uma criança nascida sob X é criada na fé da mesma forma que qualquer outro cidadão. Se um homem a reconhece, ela trará seu nome e se tornará, conseqüentemente, seu filho. Diferentemente da adoção, é a legitimação de um ato que um suposto pai está livre para realizar. Não existe declaração para infirmar ou confirmar. A paternidade, nesse caso, é reconhecida sob palavra.

Assim, a adoção é vivida de modo diferente segundo a cultura religiosa. Em geral, essa questão nunca é abordada na entrevista preliminar. Para os cristãos, é claro que eles darão à criança adotada a religião deles, se eles são crentes, ou a criarão fora da religião, se não o são. Quando candidatos de religião judaica me perguntam "Somos judeus, nossos pais também eram, será que poderemos fazer dessa criança que estamos adotando, na medida em que a mãe dela não é judia, uma criança judia?", eu os aconselho a se dirigir ao rabino.

Por trás dessa questão transparece, me parece, uma angústia, algo que causa sofrimento. Para esses casais que se preparam para adotar uma criança da DDASS ou que vem do estrangeiro, é uma real frustração a questão da religião quando vem se acrescentar às outras não-conhecidas.

5

As motivações

Falar de motivações pode parecer chocante. A adoção tem uma tal conotação de humanismo que o simples fato de imaginar motivações inconscientes – que não seriam nem humanas nem altruístas – ameaça suscitar a desaprovação. Lembro-me de uma entrevista com um casal jovem em que a mulher era estéril. Eles se casaram sabendo disso e determinados a empreender um processo de adoção. Eles se amavam, diziam, e, em nome desse amor, o processo de adoção lhes parecia natural. Esperavam esse filho exatamente como se fosse o filho biológico que não podiam ter. Eles o haviam inscrito em seu projeto de vida como um casal fecundo. Era isso que queriam me fazer entender, esperando convencer-me de que o gesto era simples e belo.

O Outro que poderia nos fazer justiça

É simples e belo, com efeito, porque o procedimento é vivido e percebido pelos candidatos como integralmente humano e sublime, ao contrário da pesquisa social e das entrevistas com os dois psis, que se mostram como injustificadas, até mesmo injustas.

Num certo dia, recebi um oficial candidato à adoção. Instalado em suas posições, o homem se contentava em fazer valer a sinceridade de seus propósitos. Alguma coisa o impedia de abrir-se para mim, o que eu fiz com que notasse, propondo-lhe encontrar um outro psicólogo. Atônito, sem dúvida, com minha reação, respondeu que não era uma questão pessoal, mas não via onde eu queria chegar. Pensava ter-me dito tudo:

"Não se trata, para mim, de avaliar a sua sinceridade; aliás, creio que você está sendo sincero.

— Então, o que você quer?

— Encetar um procedimento para adotar uma criança é seu direito, certo, mas o Estado não pode atender a todas as demandas. Parece-me que você nem mesmo vislumbrou que sua demanda pudesse não ser atendida.

— Você tem uma única razão para que ela seja recusada?

— Se há alguma razão válida, é a impossibilidade de satisfazer todas as demandas.

— É engraçado", me disse ele, "essa idéia nunca nos passou pela cabeça. Sabíamos que não havia muitas crianças, mas tínhamos certeza de que o Estado nos daria a criança de que a natureza nos privou".

Essa entrevista ilustra bem a natureza do mal-entendido que pode bloquear uma entrevista. Se o casal estava confiante era porque acreditava, profundamente, em um Outro, um Outro do Outro, suscetível de compensar as injustiças da natureza. Exatamente como se pede a Deus que corrija as injustiças que sofremos na terra.

Sofrimento e traumas

Pode acontecer de a demanda de adoção ter uma ligação direta com acontecimentos traumáticos, um sofrimento neo ou pós-natal ou, ainda, a perda de um filho: "Eu tive um filho e nunca pensei em repetir essa experiência. Sofri muito durante a gravidez". Ou, ainda: "Sofri muito durante o parto, achei que ia perder meu filho".

Alguns outros evocam o luto, ainda presente, de um filho mais novo ou com um pouco mais de idade, morto num acidente grave. A adoção é encarada como uma solução menos pior. Não se trata tanto de substituir o ausente, mas de "pegar uma criança que já está aí e que não teve a chance de viver com seus pais". Em outras palavras, a experiência do sofrimento, de um sofrimento tão forte, torna-os disponíveis para receber o sofrimento de um outro, uma criancinha, a fim de lhe dar o que deles não cessou de se dizer, cristalizado com a perda que eles conheceram.

Parece-me – para retomar uma reflexão de Claude Dumézil, sem pretender estabelecer critérios objetivos de avaliação – que candidatos que têm um semelhante discurso devem ser estimulados a refletir mais antes de seu projeto de adoção. Esse trabalho consiste, precisamente, em tomar distância em relação ao menor custo que é do tipo não querer pagar o preço da parentalidade. Só há casos particulares; esse discurso deve ser referido à história individual daquele que o mantém; por vezes, ele é coerente com um sofrimento de certa forma já ultrapassado. Em geral, quando o desejo de criança está muito ligado a esse desejo de atenuar um sofrimento, como um luto cruel ou uma experiência de maternidade medicamente complicada, me parece necessário propor refletir mais sobre isso. Em outras palavras, é melhor sugerir adiar por mais algum tempo, um ano, por exemplo, o procedimento, embora deixando, evidentemente, a escolha de não seguir esse conselho e procurar um outro psicólogo. Quando uma demanda de adoção está, de algum modo, sobrecarregada com muito sofrimento, é preciso tentar começar a trilhar, com os candidatos, uma reflexão que poderia chegar à necessidade de falar em outro lugar, com alguma outra pessoa, sobre o que eles vivem. Se eles não estão prontos, o que é freqüente, devemos convidá-los a voltar a formular seu projeto para um outro psi, de maneira a recolher uma outra opinião.

Você não conseguiu se fazer entender

É importante, me parece, colocar os postulantes diante da responsabilidade deles, não dispensá-los dessa responsabilidade ao delimitar, em seu lugar, a questão que os tortura. Já me aconteceu dizer a eles: "Escutem, nós nos encontramos, mas vocês não conseguiram me fazer entender os aspectos positivos do caminho de vocês, o que não quer dizer que eles não existam. Eu não compreendo. Por outro lado, tal ou qual ponto me parece ser problemático para vocês ou para a criança que vocês adotarão. Vamos agir como se vocês não tivessem se encontrado comigo e vocês vão procurar um outro psi. Se ele lhes disser a mesma coisa que eu sem que tenhamos combinado, a partir daí vocês terão que refletir".

É uma maneira de dar uma interpretação que não tem o caráter traumatizante de uma sanção. É uma interrogação forte. Raramente as reações foram violentas. Certo que discordâncias se manifestaram, mas, quando os postulantes constatavam que eu os havia escutado, entre as frases e as linhas, eles se mostravam muito mais abertos, e, às vezes, mais satisfeitos.

Recusa de fazer o luto

Todavia, é verdade que uma economia psíquica, uma economia de sofrimento subtende o procedimento de adoção. Essa economia, em si, não é patológica. Ela tem, antes, uma relação estreita com o desejo de criança. Para um casal que sofreu em sua carne ou psíquica e moralmente a perda de um filho, esse procedimento poderia perfeitamente inscrever-se na vida. Decidir pegar uma criança que já está aí, um serzinho que sabe o que são a privação e o sofrimento poderia ser esse convite à vida. O narcisismo de vida, explica Freud, é o que nos reúne quando a perda do objeto querido submete a dura prova nosso desejo de viver e continuar.

Por outro lado – e isso se mostra perigoso –, é a recusa da verdade, a recusa de fazer o luto que se traduz por essa vontade de substituir o ausente, aquele que não está mais aqui ou que nunca esteve aqui a não ser na fantasia. A criança adotada é chamada a renunciar ao que ela é para entrar na pele de uma outra e a renunciar, por fim, a seu estatuto de sujeito.

Procedimento pelo lado da vida

Afinal, é legítimo, para um casal enlutado pela perda de um filho, se ele está numa idade ou em circunstâncias em que não pode mais tê-los, proceder pelo lado da vida, quer dizer, sustentar a vida de uma criança que não tem família. A legitimidade desse procedimento supõe, evidentemente, que os próprios postulantes levem em conta tudo o que pode representar risco.

Tenham feito eles esse trabalho, ou não seja esse o caso, cabe a nós tentar ajudá-los a fazê-lo. Mas o contexto atribuído a nossos encontros praticamente não se presta a um acompanhamento em profundidade em um tempo mais longo.

As categorias fechadas devem ser proscritas: "Vocês perderam um filho nos três últimos anos; portanto, não podem adotar uma criança". Isso seria completamente absurdo. Cada caso é um caso particular.

Alguns lutos são, é verdade, inultrapassáveis. De qualquer forma, não vejo por que a adoção de uma criança viria curar um luto que, de todo modo, é um elemento da realidade histórica de uma família. Alguns chegam a geri-lo de uma maneira não invalidante, mas há lutos patológicos cujas conseqüências não é preciso, sobretudo, que impeçam um pequeno ser falante de se desenvolver.

Saúde precária e doenças graves

Algumas situações provocaram em mim um sentimento de mal-estar e me fizeram pensar. Trata-se de casos em que um ou outro dos postulantes à adoção tem uma saúde precária, seja porque é portador de uma doença evolutiva, seja porque foi vítima de uma dessas doenças que são curáveis hoje em dia. Ocorre assim com pessoas cuja cura de câncer foi homologada, certificada, garantida por um especialista e que, cinco, dez anos depois do fim do tratamento da doença maligna se apresentam para adotar uma criancinha...

Tomar posição é difícil, tanto isso parece inumano. Em primeiro lugar, porque o postulante se apóia em declarações de seu médico para descartar a hipótese de uma recidiva, no entanto possível; depois, porque toda idéia de morte é ocultada pelo procedimento adotivo que, mesmo que seja perfeitamente motivado, tem um aspecto conjuratório para o antigo doente ou para seu cônjuge. Depois de uma montanha de anos, o investimento do casal numa criancinha é vivido como um nascer de sol, enfim, como um projeto que vem, de repente, reconciliar com a vida. Naturalmente, tenho tendência, quando me falam de uma doença maligna curada, a acreditar. Acredito na palavra, não peço comprovações. Com efeito, é difícil conceber que as pessoas se apresentem com atestados de saúde, como se a palavra delas fosse impotente sem uma referência ao saber médico.

Pulsão de vida e pulsão de morte

Nesse aspecto, não ser médico é uma vantagem. Esclareço que não sei nada de medicina e acrescento: "Quanto a isso, você procure seu médico. Se ele diz que você está curado, é porque o julgamento dele está fundamentado em seu estado atual de saúde, mas você, você tem mais razão ainda quando se inscreve na vida".

O importante não é a garantia trazida pelo atestado médico, mas a maneira como o casal, sobretudo o antigo doente, gere sua pulsão de morte. A escuta dos postulantes permite saber em que ponto estão em relação à doença, em relação a sua própria história e apreender os índices que mostrariam que algo de sua pulsão de morte se inscreve de outra forma em sua dinâmica psíquica.

É essencial prestar atenção ao que o próprio postulante pode formular sobre isso, e em seu detrimento, se posso dizer assim. O que importa não é um saber sobre a doença, mas o que ele pode dizer dele mesmo, de sua mulher, do casal, de seus pais, de seu projeto de adoção, até mesmo de sua existência.

Eis o que deve ser ouvido, pois estar "em perfeita saúde" não garante, por isso*, a vida. Pode-se estar em perfeita saúde e morrer num acidente de carro, uma semana depois.

A escolha do sexo da criança

Esse ponto me parece interessante de ser enfatizado porque implica motivações ao mesmo tempo conscientes e inconscientes. Os casais exprimem, com muita freqüência, o desejo de adotar uma menininha. Entretanto, não existem estatísticas que provem que as meninas são mais procuradas que os meninos; o único documento a respeito do assunto é a reportagem de que falamos, realizada pela televisão. Há a impressão de que cabelos louros e olhos azuis sejam mais procurados e, portanto, os mais desejados no mercado da adoção internacional. Se a escolha de uma menininha nada tem de particular em si, os argumentos que a justificam dão, pelo contrário, muito o que pensar: "Queremos uma menina porque as meninas são mais fáceis de criar e porque, no futuro, criam-se menos conflitos

---

* Jogo de palavras entre *être "bien portant"* (estar em perfeita saúde) e *pour autant* (por isso). (NT)

com o pai". "Com os filhos naturais já é tenso; então, com um filho adotado, isso pode se revelar ainda mais difícil". Ou, ainda: "A gente não sabe como um menino vai se desenvolver".

Outros se recusam a escolher o sexo do filho adotivo: "Não quero escolher tanto quanto não quereria se fosse um filho biológico". Essa posição não é necessariamente menos complexa, posto que é negar a especificidade da adoção, tentando torná-la equivalente a uma gravidez.

Não é evidente que uma menina seja menos desorganizadora que um menino; ela pode colocar tantos problemas quanto ele. Aliás, para dar boa continuidade a esses argumentos, não é raro detectar uma espécie de "empuxo ao incesto" do pai. Em outras palavras, ele de tal forma amará sua filha que não haverá conflito com ela; ela poderá seduzi-lo.

Falar de "empuxo ao incesto" pode parece excessivo, mas todas essas considerações só têm valor tomadas no contexto de uma ou várias entrevistas com os candidatos. A expressão nada tem a ver com o incesto propriamente dito. Trata-se, simplesmente, de uma organização familiar diante dos conflitos potenciais que deixa prever em um e em outro uma certa fragilidade quanto a seu papel posterior.

Sugerindo uma escuta particular dos testemunhos dos postulantes, minha intenção de nenhuma forma é instaurar uma grade de leitura universal. Uma interpretação só é pertinente na medida em que os postulantes a autorizem a partir do que se pode ler ou ouvir entre as linhas. Não existem receitas. Trata-se, para mim, se posso falar desse modo, de apresentar algumas hipóteses que só se justificam por essa verdade que se deixa abordar durante várias entrevistas.

Mas voltemos ao que chamamos "empuxo ao incesto". Quando uma mulher enuncia "É mais fácil para meu marido", não estamos obrigados a acreditar em sua palavra. Isso também poderia sugerir um denegação [*déni*]: "Talvez isso seja mais fácil para mim, porque a idéia de criar um rapazote, um homem jovem, me enlouquece um pouquinho". Não é uma pura especulação de minha parte; eu me lembro de ter ouvido essa observação: "Tenho consciência de que não é evidente viver com um rapaz que nos pudessem entregar como se fosse um filho". Uma filha colocaria, com menor perspicácia, a questão da diferença entre os sexos?

O segundo elemento que merece ser destacado diz respeito à transmissão do nome. A esterilidade põe em jogo a transmissão, a um só tempo, do patrimônio genético e do nome. Uma moça, filha única, afirmava que não era concebível, para ela, abandonar seu sobrenome, pois isso seria condenar sua linhagem à extinção. Ela buscava saber se, legalmente, seus filhos adotivos podiam trazer o nome combinado de seus dois pais. "Se não", acrescentava ela, "gostaria de lhes dar meu nome de solteira". Adotar uma menina implica, como compromisso intermediário, a suspensão da linhagem, ou, ao menos, o fim do sobrenome. Isso equivale a dizer: "Se escolhemos uma menina, é porque compreendemos perfeitamente que não haverá, para nós, transmissão de nosso nome de família. Aliás, fica tudo bem, porque, de todo modo, está inscrito em nossa carne". Haveria aí, em suma, confusão entre esterilidade e interdição de transmitir.

Nesse aspecto, Claude Dumézil propõe a idéia de que certos postulantes, que registram a detenção da transmissão implicada pela esterilidade, adotariam uma menina precisamente porque não há "falsa" transmissão do nome. É provável, no entanto, que o grande número de meninas adotivas se explique pelas adoções feitas no estrangeiro, nos países em vias de desenvolvimento em que as meninas são mais fáceis de "encontrar". Há muito mais crianças do sexo feminino disponíveis para a adoção, é um fato. E Claude Dumézil acrescenta, retomando essa frase de Charles Melman, "A mulher é internacional", que o ser feminino advindo, a mulherzinha que se adota pode, é verdade, mais que um menino, presentificar, sem oposição, tanto sua própria identidade em sua complexidade quanto a de seu pai adotivo. Ela pode assumir esse papel sem que essa dupla identidade entre em conflito com a anterior, ao passo que, para o menino, a identificação com o pai é infinitamente mais obrigatória. Inconscientemente, algumas pessoas pensam, talvez, que levar à idade adulta uma menina portadora de seu nome, pela adoção, está muito mais perto da realidade da adoção em sua dimensão pluricultural.

A mulher é, por essência, mais adaptável que o homem a culturas diferentes. Todos temos exemplos de mulheres que adotaram o estilo e a cultura de seus maridos sucessivos. A mulher escolhe seu domicílio identitário de acordo com o homem com o qual ela vive. Numa linhagem adotiva, a menina toma a identidade de seus pais e passará sem choques, mais facilmente que um menino, desse lar para o lar que fundará e, por causa disso, algo da interrupção, da ruptura simbólica de uma esterilidade será menos vivamente inscrito que no caso da transmissão por um filho adotivo.

Essas afirmações apenas retomam o que Freud escreveu: o Eu [*Moi*] da mulher se constitui, se constrói por suas experiências amorosas enquanto menina, mas também enquanto mulher[14].

Sob um outro aspecto, este mais terra-a-terra, eu diria que a mulher encontra menos problemas de adaptação ou de assimilação porque é a uma só vez tolerada e desejada pelos homens da sociedade que a acolhe. Um homem teria, quanto a si, de conquistar as mulheres e, conseqüentemente, de se confrontar com rivais potenciais.

Uma mulher advinda de uma outra cultura freqüentemente se mostra muito mais dinâmica tanto em sua integração quanto em sua adaptação às mudanças em relação a seu país de origem. Sua integração se dá de maneira mais franca e mais conforme às exigências da época. A mulher porta infinitamente mais a verdade simbólica da democracia, por exemplo, que os homens. Sem dúvida, é essa dupla potencialidade que torna mais freqüente, me parece, a procura de uma criança do sexo feminino para adoção.

Os celibatários

A escolha do sexo é mais pertinente quando a demanda vem de celibatários homens ou mulheres. Na maioria das vezes são mulheres, algumas delas tendo orientado sua escolha em função das suas prioridades até aquele momento. Em geral, fizeram estudos superiores e exerceram ou exercem ainda profissões apaixonantes e que solicitam muito delas. Elas descobrem, com quarenta e cinco ou cinqüenta anos, que não podem mais fazer um filho biológico e se voltam para a adoção. É difícil, nesse caso, ver nisso a projeção de conflitos latentes relacionados a uma estrutura edipiana que se traduziria pela recusa de fazer um filho com um homem. No entanto, o fato de ter negligenciado esse problema e só tê-lo levado em conta tão tarde não é anódino. Pode-se banalizar o argumento que consiste em dizer que,

---

[14] S. Freud, "La personnalité psychique", em *Nouvelles Conférences*, op. cit., p. 86.

se uma mulher não teve filhos, foi porque ela estava ocupada demais com sua vida profissional e social? Continua o fato de que o desejo de criança ficou durante todo esse tempo na sombra desse sucesso. Em outras palavras, enquanto a mulher se dedicava a seu trabalho, o filho estava, de alguma forma, fora de questão. Talvez seja uma projeção de seu próprio conflito edipiano.

Podemos admitir que uma mulher sozinha ache mais fácil criar uma menina, mas permanece a questão da monoparentalidade, que fatalmente expõe a dificuldades que não são as da parentalidade habitual. Adotar uma criancinha, menino ou menina, quando se tem cinqüenta anos, pode colocar um problema de identificação quinze anos mais tarde, de maneira recíproca, aliás. Não é evidente identificar-se a uma mãe adotiva ocupada, talvez, com os problemas ligados a sua idade. Há uma espécie de defasagem suscetível de se manifestar em termos de prova narcísica prejudicial a uma relação estável entre o adolescente e sua mãe.

6

O desejo de criança

Para introduzir esse capítulo, contarei brevemente um caso que ilustra bem o desejo de criança e as ambigüidades que o cercam. Trata-se de uma mulher jovem, de cerca de trinta anos, que vivia em concubinato com um homem de sua idade. Ela se apresentou sozinha na primeira vez, sob pretexto de que seu namorado não podia se liberar naquele dia. Depois eu os vi juntos e descobri um homem sofrido, quase culpado por não poder dar um filho a sua mulher por causa de uma esterilidade que ele ignorava antes.

Desejo da mãe e dívida com o pai

Aquela mulher jovem havia abortado quatro vezes. Ela queria muito, dizia, manter os bebês, ou, pelo menos, manter um deles. Mas não foi possível porque seus diversos namorados, os pais potenciais, recusavam-se a assumir sua responsabilidade com ela ou com a criança a vir; eles lhe deixaram a decisão. Já que era ela quem estava grávida, a responsabilidade pelo ato lhe cabia. Nenhum deles tinha dito a ela que gostaria muito de ter um filho com ela e que assumiria a paternidade dele.

E ela acrescentava: "De minha mãe, a única lembrança que tenho dela é que ela estava o tempo todo tentando abortar. O tempo todo. Ela tentou se livrar de cada um de meus irmãos e irmãs". E ela, a filha mais velha, se ocupava da mãe, cuidava dela depois de cada aborto. Era a lembrança que lhe vinha cada vez que pensava em sua mãe e era ainda a lembrança que a invadia quando falava das IVG* de sua mãe.

Ora, a partir do momento em que vivia com um homem estéril, ela em vão tentava tudo para ter um filho. Ia de um médico a outro, de serviço hospitalar em serviço hospitalar, a fim de realizar exames cada vez mais especializados. Havia até mesmo sofrido uma operação destinada a limpar as trompas para permitir aos óvulos e aos espermatozóides melhor circular. Quanto ao marido, ele também acompanhou tudo intensamente.

Em suma, a criança se tornou uma corrida contra o relógio. Nunca lhe veio à cabeça a idéia de deixar esse homem para ter um filho com um outro. Era com aquele ali que ela queria ter um filho e foi com ele, também, que ela se dirigiu para a adoção.

Essa mulher havia perdido seu pai relativamente jovem e guardava o sentimento de ser seu filho mais velho, um sentimento que ela explicava assim: "Agi como se meu pai me tivesse confiado a responsabilidade da família. Para mim, era impossível acreditar que minha mãe era capaz de fazer isso, porque nunca pude me separar dessa figura assassina nela, que sempre procurou se livrar dos filhos quando estavam em seu ventre. Meus irmãos e irmãs eram muito jovens e eu tinha que protegê-los". E precisava: "Aliás, quando eu era jovem, pensava que deveria dar o nome de meu pai a meus filhos".

Eis aqui, resumidos, os temas que sobressaem das poucas entrevistas que tive com ela:

– O patronímico se confunde, em seu discurso, com o nome do pai.

– O objeto paterno é interiorizado, o que tem como efeito suspender o trabalho do luto.

– Um filho só parece possível com um homem estéril, o que deixa a paternidade da criança a vir como uma questão aberta.

– O homem que poderia ter feito dela uma mãe para seu filho lhe faltou, dramaticamente.

A adoção se mostra como o único meio de ter um filho, ao apresentar uma economia psíquica que permite a ela escapar, mesmo que apenas por algum tempo, ao retorno do recalcado.

---

* Sigla de interrupção voluntária de gravidez. (NT)

O DESEJO DE CRIANÇA

As demandas de adoção revolucionam a questão do que é, para uma mulher ou para um homem, ter um filho.

Nem sempre é possível abordar a questão do desejo de criança nessas entrevistas. Freqüentemente ela permanece como um ponto enigmático, pois seria preciso um trabalho escalonado no tempo para que ela pudesse ser relacionada com a história e a estrutura inconsciente da pessoa. Lidamos com uma demanda de criança, mas não com a maneira como esse pedido intervém numa história. Por vezes, formulo algumas hipóteses sobre a estrutura em causa, a do pai adotivo ou a da mãe adotiva, mas isso fica, na maioria das vezes, em estado de hipótese.

Luto da gravidez

É importante escutar o que se diz sobre o luto da gravidez. Geralmente, ele é feito ou está se fazendo e é possível para os candidatos explicitá-lo e exprimi-lo. É raro que um lado racional e voluntarista indique que o luto não está feito, o que convidaria a propor uma reflexão mais aprofundada.

Isso é verdadeiro no que se refere às mulheres. Para um homem, a questão do filho é referida, mais naturalmente que para uma mulher, à questão do desejo, na medida em que ele não tem que fazer o luto de uma gravidez. O que ele prioriza se situa mais do lado da transmissão, assim como da experiência adquirida, do que dos bens materiais e do nome.

Ele projeta no filho sua continuação, a continuação da linhagem e do patrimônio genético, termo que vem com mais freqüência na boca dos homens que das mulheres. Às vezes, encontramos nos homens estéreis algo com relação ao temor, ou uma reticência excessiva diante do não-conhecido do patrimônio genético. Se a mulher deve carregar o luto da gravidez, o homem, antes, tem que carregar o da continuidade de sua linhagem. Quando ultrapassou essa dificuldade, ele parece se situar, de imediato, na dimensão do desejo de criança. Se esse não for o caso, ele não consegue simular. A entrevista com os casais faz aparecer, por vezes, uma defasagem entre a demanda de criança da mulher e o fato de que seu cônjuge tem acesso a essa demanda por amor ou por bondade, sem estar em pessoa nesse desejo. É raro, mas se compreende facilmente. Quando se está aí, está-se plenamente. Ele exprime, à sua revelia, observações que confirmam inteiramente o que sabemos sobre a função do pai simbólico. É exatamente nesta dimensão que é manifestamente mais complicado para uma mulher. O homem estéril não faz o luto de sua fecundidade e sabemos quanto alguns têm dificuldade de agüentar isso, a ponto, algumas vezes, de deprimir e paralisar qualquer veleidade adotiva. É raro, aliás, que nos demos conta disso. Ou ele fez um certo percurso, ainda que sob a pressão da mulher dele. A entrevista tem como resultado relançar o trabalho que o homem fez no sentido da sublimação, em todo caso, do luto. Por luto é preciso entender a aceitação da função simbólica do pai, ou, ao contrário, a recusa, a impossibilidade de assumir essa função.

As mulheres encontram, em seu encaminhamento de adoção, uma vez efetuado o luto de sua gravidez, um mesmo alimento imaginário para seu *penisneid*. Seja adotado ou biológico, o filho pode perfeitamente assegurar a função fálica.

A esterilidade, no homem, é vivida na confusão entre o luto da transmissão e a castração real, ao passo que, na mulher, o filho adotivo, a mesmo título que o filho biológico, pode ser integrado na posição fálica.

É possível, por vezes, obter, durante as entrevistas, alguns ensinamentos sobre o desejo de criança. Mas a palavra "filho"/"criança"* recobre uma pluralidade de filhos: o filho do pai, o filho fálico, o filho narcísico, o filho texto original ou cópia conforme ao patrimônio genético de seus pais...

Há o filho que os pais teriam querido ter, aquele que se teria querido ser, ou não ser, aquele que se desejaria, ou, ainda, aquele de que a esterilidade nos priva. Todo um conjunto de situações que não são necessariamente patológicas, mas que poderiam, em certos casos, se revelar problemáticas para a criança e sua futura família.

Portanto, é possível, à luz de elementos do discurso sustentado pelos candidatos à adoção, ter uma idéia do lugar que a criança é chamada a ocupar na economia psíquica dos futuros pais.

---

* Em francês, temos a mesma palavra, *enfant*, para o português "filho" e para o português "criança". (NT)

O DESEJO DE CRIANÇA

Se insisto no luto da transmissão genética, é porque se trata, seguramente, de uma angústia que tem a ver, a um só tempo, com a morte real e com o apagamento do nome. Uma desaparição de todos os traços que nos assinalam para os vivos: ninguém portará mais o patrimônio genético de pais estéreis e ninguém perpertuará seus nomes. O texto original não terá sua duplicata no filho biológico. A dificuldade, no que diz respeito ao casal estéril, é que o filho biológico não vem tamponar esse imaginário para ajudá-lo, em seu trabalho de luto, a introduzir, pelo fato mesmo desse luto, esse algo que torna a vida possível com o filho da realidade, assim como se diz pai da realidade. Ou seja, um filho que não seria à imagem de sua mãe, de seu pai, ou de seu suposto patrimônio genético, mas que terá seu lugar como sujeito na medida em que algo faz ruptura e dá ao laço familiar um valor simbólico.

Os três desejos

Isso remete ao necessário encontro de três desejos, de que fala Françoise Dolto, para que a criança advenha[15].

Esses três desejos se exprimem da seguinte forma:

– desejar um filho de um homem, o homem que está ali, o homem que uma mulher ama;

– desejar um filho de uma mulher, aquela que um homem ama;

– o encontro de dois desejos no sentido em que isso se fala e em que, graças a essa fala, um filho já faz seu ninho no campo da linguagem que o acolherá e no qual ele evoluirá para conquistá-lo e fazê-lo seu, depois. O filho guardará a marca da forma como o desejo dos pais lhe for instilado, pegadas sobre as quais virão se inserir seus próprios significantes. Em sua conferência de Genebra[16], Lacan observa, retomando a noção de filho de-

---

[15] Ver F. Dolto, *Le Séminaire de psychanalyse*, t. II, Seuil, 1985, p. 131: "A criança, mesmo que não porte o patronímico, é a resposta de um pai ao desejo de uma mãe; mas também não deixa de ser sujeito, em seu próprio desejo de tomar corpo (de homem ou de mulher), pelo ato de seus genitores".

[16] J. Lacan, "Conférence de Genève sur le symptôme", *Le Bloc-notes de la psychanalyse*, n° 5, 1985.

sejado, que a criança, mesmo não desejada, pode trabalhar para determinar sua acolhida a partir de algo que ele chama "bulícios [*frétillements*]".

Isso me lembra o caso daquela mulher que sofria por nenhum homem lhe ter dito que queria um filho dela, um filho à sua imagem, como um reconhecimento do desejo dele por ela. Ela queria reconhecer no desejo do outro sinais que consagrariam o desejo dele por ela e pela criança. Faltava-lhe esse desejo, que poderia constituir laço para ela e autorizá-la a levar mais adiante um projeto de maternidade.

Na adoção, desejar um filho não é desejá-lo à imagem do outro, posto que se trata de uma criança outra, uma criança que, por sua diferença genética, não terá que ocupar essa função relacionada ao real do corpo dos pais. Em troca, ela põe no mesmo plano mãe e pai, pelo fato de que os dois o esperaram da mesma forma.

O desejo de criança que já está aí

Alguns casos, verdadeiramente falando, marginais, se apresentaram. Certos casais que chegavam de mãos dadas, perfeitamente de acordo, me disseram: "Não somos estéreis, mas nossa reflexão nos conduziu a adotar uma criança porque concluímos que desejamos mais ser pais de crianças que já estão aí que fazê-las nós mesmos". E evocam temas como a miséria ou as catástrofes naturais para justificar a escolha deles.

A fala deles é convincente, o desejo desse filho adotivo está verdadeiramente presente. No fundo, é o desejo da adoção pela adoção e não o desejo como paliativo de uma esterilidade. Se podemos, por vezes, considerar que é uma maneira muito pensada de colocar a questão da adoção, há casos em que a referência à miséria no mundo, por exemplo, esconde um estado depressivo projetado na criança a adotar e salvar. Conheci candidatos que falavam da guerra nuclear, do desemprego e da precariedade. Quando quis saber mais, descobri que havia um problema de hereditariedade na família materna, do qual a mulher se considerava portadora e, por isso, potencialmente nociva para um filho biológico.

Não se trata de duvidar de todo argumento que se refira às infelicidades do mundo. Há, efetivamente, crianças em situação difícil, mas o fato de que elas existam não impede um casal fecundo de fazer filhos e criar também um filho adotivo. Entretanto, usar como pretexto a miséria para recusar pôr um filho no mundo me parece suspeito.

No entanto, em toda adoção existe um componente que consiste em colocar o desejo de criança em termos de solidariedade. O espetáculo de uma favela ou de um cortiço qualquer nos suscita compaixão. Isso é adoção humanitária? Isso se liga, com efeito, a algo que seria do tipo do levar em conta a necessidade de uma criança sem família, que vem sustentar o desejo de criança. As pessoas que formulam as coisas nesses termos não são suficientemente maduras para assumir a responsabilidade de pôr uma criança no mundo, mas, ao preço dessa imaturidade, capazes de acolher uma criança estranha? Lembro-me de um casal que explicava: "Talvez tenhamos um filho, o segundo ou o terceiro, talvez nós mesmos o façamos, mas, quanto ao primeiro, queremos adotar".

Onde fica o desejo de criança? Seria bem difícil determinar critérios de autenticidade ou de sinceridade na formulação dessas pessoas. Quando estou diante de um tal discurso, o verdadeiro como o falso da asserção me parecem impor-se naturalmente ao espírito.

Luto e desejo inconsciente

Seria oportuno interrogar-se sobre o que está em jogo no momento da partida em busca de uma criança, trate-se de procriação ou de adoção. Como em muitas ações importantes, uma grande parte, é verdade, escapa à consciência. Talvez devêssemos nos referir – e é assim que os analistas entendem qualquer demanda – a uma formação do inconsciente, sobre a qual, é certo, temos alguma experiência...

Falando de autenticidade ou de sinceridade, minha intenção não é dar a entender que a demanda soa justa ou não: o inconsciente está ou não está aí. A demanda é refletida ou não é. A razão invocada é real ou não é. O sujeito, homem ou mulher, que formula sua demanda é engajado por sua palavra, ou simplesmente racionalmente carregado por ela.

O que se quer dizer com desejo? O desejo de criança é o desejo por uma criança? Nesse caso, todos aqueles que, por um motivo ou por outro, se dirigem para a ação educativa, terapêutica ou médica com crianças seriam habitados por esse desejo.

De toda forma, a criança deve encontrar seu caminho e "obrigar" seus pais a fazer o luto de suas próprias crianças narcísicas, único meio, para ela, de existir. "Obrigar" significa que seu desejo opera para que os pais a acolham sem investimento narcísico demais e sem decepção ou rejeição demais. É justamente o que faz Françoise Dolto dizer que a primeira criança experimenta os inconvenientes da novidade, os gessos* do imaginário.

O luto na adoção é, então, o luto da transmissão genética. Adotar talvez seja o sinal de que esse trabalho foi feito. Mas é somente um sinal; o filho adotivo expõe menos o narcisismo dos pais porque é geneticamente outro. Ou seja, se ele se mostra aquém da expectativa dos pais, é porque é o filho genético de um outro. Os pais adotivos podem não se reconhecer no que ele faz, particularmente quando seu fazer é vivido negativamente por eles. É aí que reside a dificuldade com a qual os adotantes podem se defrontar. Quando não se reconhecem nos problemas da criança porque ela é geneticamente outra, eles podem se preservar narcisicamente; isso os torna estranhos às manifestações de vida da criança.

O luto, o da gravidez, do filho narcísico e do filho do pai, se mostra como um trabalho a ser empreendido para que o luto de seu desejo de criança possa, por sua vez, ser feito. É o momento de báscula em que o desejo do pai ou da mãe se apaga diante do desejo que a criança tem de ser adulta. É para todos a verdadeira dificuldade da função paterna. Dever-se-ia, nas demandas de adoção, dar lugar, ao lado da escuta que podemos ter do que diz respeito ao desejo de criança, à escuta de um outro desejo – sem dúvida formulado com menor precisão –, que é o desejo de exercer uma função paterna? É freqüente – e é de bom quilate – que um casal exprima a necessidade que sente de completar as vantagens que retira de sua vida a dois introduzindo um terceiro que possa se "beneficiar" – às vezes eles dizem assim – de toda a aquisição de experiência do casal e de sua potencialidade afetiva.

---

* Em francês, *essuie les plâtres, les plâtres de l'imaginaire*, jogo de palavras entre a expressão *essuyer les plâtres* (experimentar os inconvenientes da novidade, expressão originada, segundo o Robert, no fato de que o gesso recém-colocado deixa uma umidade e um cheiro desagradáveis) e *plâtres*, gesso. (NT)

Eles propõem, no fundo, uma transmissão simbólica que é de outro tipo que a transmissão genética, uma transmissão da Lei, por exemplo. É o caso para as crianças do Terceiro Mundo, que, de outra forma, estariam entregues a si mesmas e fora da lei, em todos os sentidos da expressão. Ouvimos assim, algumas vezes, expresso pelos adotantes, o direito de restituir algo da ordem da lei a uma criança, o que parece uma distância adequada com relação ao que existe, sem dúvida, do lado de seu desejo de criança já mediatizado.

Esse ato, se o avaliarmos bem, constitui um engajamento infinitamente mais articulado que a simples realização biológica da reprodução, mesmo que seja nutrido por considerações filosóficas, ideológicas ou religiosas. Nesse sentido, pode-se dizer que a adoção cria condições particulares e positivas para a acolhida de uma criança: por um lado, o pai e a mãe a aguardam da mesma forma e, por outro, existe um equilíbrio entre a dinâmica que impulsiona um casal para uma criança e aquela que impulsiona uma criança para o casal. Aqueles que, como eu, têm a responsabilidade de apresentar as duas partes têm o privilégio de realizar um verdadeiro encontro. Não quero dizer, com isso, que um nascimento não seja um evento bastante importante, corporal e emocionalmente, mas a dimensão do encontro nele é provavelmente menos essencial que na adoção.

O encontro

Na adoção, é possível falar de um verdadeiro encontro, que se dá de outro modo que na concepção do filho. A concepção não é uma questão de cálculo e domínio, como se poderia pensar: "Faremos um filho mais tarde, no próximo ano, quando tivermos mudado de casa, quando o pequenino se tornar autônomo...". O filho chega antes que o projeto de mudança de casa se realize, ou não chega, apesar do grande apartamento que se acaba de comprar. Qualquer que seja o raciocínio, a criança não anda no ritmo dos pais. É um encontro entre um homem e uma mulher que faz com que a criança se anuncie, pouco importando o que eles disseram ou previram para mais tarde. E eis o terceiro desejo de que falamos: o tempo do inconsciente não é o do projeto consciente.

A onipotência da ciência decai quando um casal esgotou a via médica, pois o sofrimento não é mais o mesmo. Depois de ter sofrido toda espécie de exame, freqüentado clínicas e hospitais, tentado inseminações artificiais, nutrido esperanças seguidas de decepções, não se volta à casa de partida.

Adotar uma criança não é somente a seqüência lógica dos procedimentos médicos; é um ato que deve ser relacionado a uma certa maturidade, uma certa disponibilidade psíquica que permite ao casal abrir-se para acolher em seu seio uma criança que não viria mais reparar uma injustiça ou suprir uma falta, mas, antes, em seu lugar no desejo de um casal.

Os procedimentos de adoção, tal como existem, têm por efeito rejeitar, de algum modo, o acontecimento emocional em fim de percurso; o casal consolidou sua solidariedade no encaminhamento e, portanto, pôs à prova a solidez de seu desejo de chegar à adoção.

No entanto, no dia em que o casal recebe o telefonema ou a carta que anuncia "Vocês podem comparecer à creche do abrigo", ou quando toma o avião para buscar uma criança no outro lado do mundo, as coisas mudam e o vivido, o experimentado emocional é intenso, como ilustra esse testemunho tocante de uma mãe adotiva: "Quando puseram meu filho nos meus braços, achei que havia tido um aumento de leite".

Outros colegas observaram *baby blues*, descompensações geralmente atribuídas a um remanejamento hormonal após o parto. A mamãe é tomada por sacudidelas sísmicas emocionais que põem em jogo sua identidade materna. São necessários nove meses para fazer um bebê e três anos para um filho adotivo. A gestão da emoção e do desejo é diferente e sua concretização, pelo fato de que o pai e a mãe estão engajados da mesma maneira, implica os dois numa espécie de igualdade perfeita no futuro do filho do casal. O encontro com o filho adotado é o resultado de procedimentos queridos e mantidos de maneira constante e que, além disso, envolvem uma criança já aí, criança que, mesmo que não saiba, está à espera de um pai e de uma mãe. São condições bastante favoráveis para uma estruturação familiar.

Quando eu trabalhava no quadro da ASE, era uma mesma equipe que recebia as famílias adotivas e acompanhava a colocação da criança. Acompanhávamos, portanto, a evolução de sua situação semana após semana.

Éramos testemunhas de momentos de intensa felicidade, mas também de decepção e, por vezes, de rejeição da criança. Lembro-me de um casal que não pôde se reconhecer na criança negra que lhe tinha sido confiada. Um outro literalmente havia maltratado uma criança com prejuízos. A equipe com a qual eu trabalhava na época não pôde avaliar o risco antes da colocação. A escolha, me parece, e não os casais em questão, havia sido ruim. Esses casais poderiam ter aceitado melhor outras crianças.

Contrariamente – e isso é sinal de que a escolha foi adequada –, constatamos transformações físicas em alguns casais, sobretudo nas mães. A chegada de uma criancinha em sua família adotiva tivera repercussões no plano corporal, exatamente como poderia se produzir com uma mãe parturiente. Também vimos pais que não sabiam como pegar as crianças, espantosamente desajeitados. Carregavam as crianças como um objeto frágil e pediam conselhos a todo o seu entorno. E depois, de repente, ao se sentir cada um interrogado em sua função a respeito dessa criança, o casal terminava por se identificar ao papel de pais e por abandonar o estatuto de candidatos à adoção que eles ocuparam durante muito tempo.

Pouco depois, pais e filhos começavam a se parecer fisicamente. Mães adotivas nos afirmaram que se lhes dizia, quando passeavam com seu filho na rua ou na praça: "Como essa criança parece com vocês!"; ou "parece com seu pai!".

A identificação com os pais representa a resposta da criança ao desejo dos pais. Trata-se, de toda forma, de sua estratégia inconsciente para enganchar o gozo do Outro a fim de se assujeitar a ele e se tornar o objeto de seu gozo. A criança percebe isso através dos significantes da acolhida que os pais lhe reservam, oferecendo-lhe, assim, o leito sobre o qual os elementos de sua pré-história vão se inscrever e tomar vida.

A propósito do mimetismo, o artigo de C. Dubigny[17] me pareceu uma espécie de advertência. Ela convida os participantes a desenvolver um trabalho de desidentificação com a criança a fim de lhe permitir existir por si mesma. Ora, o mimetismo não me parece mais inquietante na criança adotada do que em qualquer outra. Existir enquanto si mesmo só se dá

---

[17] Corinne Dubigny, em *Le Coq-Héron*, nº 148, "L'adoption".

pelo que a identificação oferecer a cada um como vivido subjetivo e maturidade afetiva. Essa castração, posto que se trata exatamente disso, não é um trabalho de educador ou de psicólogo, mas, antes, a história dos complexos que qualquer criança tem que viver com seus pais e seu entorno familiar. É certo que podemos desenvolver um trabalho de prevenção com os adotantes, mas não programar a vida antes que ela seja vivida.

A criança desejada

Uma questão recorrente nos jovens adotados diz respeito, de maneira direta ou indireta, à história da separação deles de seus pais e ao fato de saber se eles foram ou não desejados por suas mães biológicas. De um modo mais geral, essa questão é também a de qualquer criança. Recentemente ainda, explicavam-se todos os males, toda a psicopatologia da criança pelo fato de que não tinha sido desejada ou tinha sido mal desejada.

Ora, como saber se um filho é desejado? Como estar certo disso? Pode-se afirmar esse desejo de modo consciente e perceber, no só-depois, que ele estava completamente capturado numa fantasia ou no imaginário e só se revela por um efeito de maturidade. Uma criança que não é desejada conscientemente pode sê-lo, de uma certa maneira, inconscientemente.

Quando falamos do desejo de criança, devemos precisar que incluímos, para além da dimensão psicológica do desejo consciente, o desejo inconsciente. Os exemplos são muitos. Foi assim com essa muito jovem mulher celibatária que teve seu primeiro filho com treze ou quatorze anos e que, aos dezessete, dezoito anos, tinha três. Uma contracepção drástica foi instituída pelas autoridades educativas que se ocupavam dela, mas essa moça, que já era mãe de três filhos, fazia tudo para escapar dela. Seu desejo consciente era, é claro, não ter outro filho, mas ela estava atravessada por seu desejo inconsciente, que era o de obter a prova de que continuava fecunda.

Que desejo era esse, então? Essa mocinha, muito provavelmente, tinha mais um desejo de gravidez que um desejo de criança.

Não gostaria de limitar minhas afirmações unicamente às mães biológicas que abandonam seu filho em vista de uma adoção. Esse é um tempo importante do processo. Não haveria adoção se não houvesse abandono, mas sabemos que os abandonos não correspondem, não respondem a um não-desejo de criança. Algumas mulheres renunciam à maternidade – de outra forma que por uma interrupção de gravidez – por razões que, às vezes, são completamente elogiáveis. Elas se recusam a introduzir o filho que acabaram de dar ao mundo nas mesmas desventuras em que elas mesmas estão aprisionadas, seja pelo fato de serem muito jovens, seja pelo fato de seu meio social e de sua impossibilidade de assumir mais uma criança, ou até uma primeira criança.

É uma dimensão muito importante a considerar quanto a uma criança adotiva: o abandono não é equivalente a rejeição, a não-desejo. Um desejo de criança pode chegar ao abandono. Talvez seja isso de que quero falar ao evocar o avesso do desejo. Ou seja, o não-desejo de criança não parece um critério de má higiene parental, na medida em que o abandono for enquadrado, gerido por estruturas capazes de substituir os pais biológicos. Isso relativiza a questão do desejo, ou, em todo caso, mostra sua complexidade. A experiência com as crianças mostra que, no fundo, não se poderia reduzir a patogenia do sintoma delas ao fato de que tenham sido ou não desejadas.

Em sua conferência em Genebra[18], Lacan fala claramente do não-desejo e de suas conseqüências patógenas para a evolução da criança. Mas ele não fica nisso; acrescenta que tudo depende do modo como a criança é acolhida por seu entorno. A criança não apenas sofre passivamente seu destino; ela pode contribuir para sua aceitação graças ao que Lacan chama "seus bulícios", que podem modificar a disposição do adulto a respeito dela. Quando a criança não o faz, não busca enganchar o gozo da mãe, por exemplo, é, me parece, porque já está deprimida. E, nesse caso, tudo depende ainda da acolhida de um meio substituto.

Para que uma criança nasça, é preciso, antes de tudo, que ela se agarre ao corpo da mãe e que esse corpo a tolere, a aceite e a deseje. F. Dolto dizia às mães: "Mas foi seu corpo que desejou essa criança; você, conscientemente, não sabe nada disso".

---

[18] J. Lacan, op. cit., p. 11.

É certo que é uma metáfora, mas ela é operante quando se trata de abordar temas tão delicados. O não-desejo é catastrófico quando coincide com os atos e os dizeres dos pais, quando, dia após dia, se significa, direta ou indiretamente, à criança que ela não é desejada. O fato de recusar dar o filho para adoção, ou colocá-lo, se origina nos maus tratos: fica-se com ele para lhe significar, todo o tempo, que não é desejado.

Os exemplos são abundantes. Eis aqui um, aparentemente anódino. Trata-se de uma mãe que repetia a seu filho: "Você? Você é um acidente". Ela não parou de qualificá-lo de "acidente" até que ele provocasse o acidente que iria marcá-lo para toda a vida. Uma outra se dirigia a sua filha nesses termos: "Eu não queria você, queria um menino".

Uma moça que tenho em análise sofreu por ter ouvido seus pais dizerem e repetirem: "Temos duas filhas e uma terceira que deveria ter sido o menino que queríamos". Ela acabou rindo disso, porque essa frase, que tanto a tinha feito sofrer, ela a transformou em gozação: "Temos duas filhas e uma terceira que não é um menino".

Uma outra moça, de dezoito anos, que estava deixando sua família adotiva para morar com seu namorado, veio me procurar "para examinar sua vida", conforme me explicou. Tinha vontade de encontrar as pegadas de sua mãe e de ouvir dela o relato de sua história. Ela queria saber por que tinha sido abandonada. "Não é permitido abandonar um filho. Se ela tivesse abandonado só a mim, eu diria que foi um acidente e pensaria que conseguira refazer a vida dela. Soube que ela abandonou vários filhos e, para mim, quando uma mãe abandona vários filhos, ela só pode ser uma mãe indigna. Eu a teria perdoado se tivesse descoberto que só tinha me abandonado, mas, ao saber que fomos muitos, pensei para mim que ela só tinha que abortar. Pode-se abortar, é fácil abortar".

Eu disse a ela que, enquanto a ouvia, tinha a impressão de que ela se sentia infeliz.

"– Não, por quê?", me perguntou ela.

"– Então, você se acha feliz, apesar de tudo?

– Sim.

– Você está feliz com o fato de ir morar com seu namorado?

– Sim.

— Você vê que sua mãe tinha razão, de toda forma, em colocar você no mundo, porque você está feliz por viver. Quando você diz que sua mãe foi indigna, você confunde a pessoa dela com o gesto que consistiu em dar você a outros pais para adoção. Esse mesmo gesto não fez uma filha infeliz, pois você diz o contrário. É isso que conta para você, agora. O fato de que você tenha escolhido viver fez também com que você tenha aceitado durante todo esse tempo o risco de viver — e você tem razão. Aliás, você não é a única a ter razão; sua mãe também teve, quando manteve você em vida e a deu a uma outra família que a ama e que você ama.

— Nunca vi as coisas dessa forma. Isso libera você para entender que se é responsável por sua vida, mesmo que se seja criança".

É difícil de determinar, de imediato, quem foi desejado e quem não o foi. É a partir do vivido de cada criança que se pode responder. Essa moça queria, sem dúvida, fechar o capítulo no momento em que a questão de seu futuro de mãe se colocava para ela. Não era uma sessão de terapia. Nós falamos livremente; ela necessitava de alguém para se situar na questão. Quando vi os olhos dela brilharem de emoção ao descobrir que uma mãe "indigna" podia fazer uma filha feliz, compreendi que ela não queria de mim mais que essas palavras; essas palavras tiveram sobre ela o duplo efeito de desculpabilizá-la e de autorizá-la a continuar.

Em suma, para esse ser de linguagem que é o homem, o conceito de desejo só tem sentido num discurso. Não se trata, aí, do desejo que alguns colocam do lado do instinto, sendo a mãe indigna aquela que não tinha obedecido ao "instinto materno". O que sabemos, aquilo sobre que Lacan insistiu é que, no homem, o instinto não existe, a linguagem matou o instinto. Em lugar dessa noção animal, se coloca o triplo registro da demanda, da necessidade e do desejo; é com isso que nossos genitores têm a ver. O desejo não pára de se construir. É verdadeiro antes da concepção, durante a gravidez, ou antes da decisão de adoção, durante os procedimentos e após a acolhida da criança, depois nos anos que estruturarão a relação pais-filho. No fundo, um filho desejado só pode saber disso só-depois e nenhum pai pode afirmar, com toda objetividade e com toda certeza, que deseja um filho. Nossa tarefa é ainda mais difícil na medida em que não existe nenhum critério científico para medir a quantidade de desejo em jogo no pedido de adoção. O que podemos apreciar e avaliar é a maneira como a formulação desse projeto adotivo é inserida num discurso.

Aquilo que é verdadeiro no procedimento construtivo da adoção o é também no nível do abandono. Há abandonos em que a dimensão do desejo positivo pela criança está presente, o que não se identifica na assinatura do ato de abandono, mas num discurso que os trabalhadores sociais conhecem bem.

7

O que constitui a família?

A história dessa moça me desafia a dizer o que acontece com a família, ou, mais precisamente, o que constitui família. É espantoso ver alguém vir acertar as contas com pais que não conheceu e agir, durante uma entrevista, como se o tempo não tivesse transcorrido desde a separação de sua mãe ou de seus pais. Por que lhe é preciso voltar ao passado, à mãe de nascimento, enquanto que uma outra mãe perfeitamente a substituiu durante todo esse tempo? O ser humano nunca pode ultrapassar a questão da origem e se desvencilhar desse ponto que costumamos dizer fundador?

É difícil responder. Quando nos referimos aos mitos ou aos textos sagrados, descobrimos que o ser humano sempre tentou se atribuir referências que seu meio imediato ou distante lhe inspirava. Como acreditar que seria possível remontar, de geração em geração, até encontrar a pegada de Adão, de Abraão ou de um outro em sua própria genealogia? E, no entanto, o homem tem necessidade desses mitos fundadores para se inscrever numa história ou se ligar a uma origem.

Para um psicanalista, essa questão é ainda mais pertinente na medida em que cada indivíduo deve tomá-la para si e tentar encontrar a resposta no contexto de sua história pessoal.

Freud desenvolve uma hipótese em três tempos intimamente nodulados. Há, primeiro, o tempo mítico, o do assassinato do pai da horda primitiva, tempo fundador para a espécie na medida em que introduz o homem na cultura[19].

---

[19] S. Freud, ver *Moïse et le monothéisme*, Gallimard, 1948, cap. IV, Aplicação, pp. 109-24.

O segundo tempo não deixa de ter ligação com a história: trata-se do assassinato de Moisés e do nascimento do Deus do monoteísmo. A repetição desse assassinato de uma só vez reforça o recalque, aquele que está relacionado ao primeiro assassinato, e dá nascimento aos grupos religiosos e culturais com suas especificidades nos planos imaginário e simbólico: constrói-se com o imaginário que se quiser, contanto que isso mantenha a coerência e as referências comuns. Freud introduz a questão da dívida simbólica como meio de descentrar o problema e deslocar o ponto de origem. Em outras palavras, não há origem a não ser dividida – para retomar o significante que Lacan emprega para qualificar o sujeito. Algo do sujeito escapa definitivamente a seu saber consciente.

O terceiro tempo é o do vivido subjetivo, um vivido, no plano individual, daquilo que a espécie ou o grupo teriam vivido no plano coletivo: é o complexo de Édipo.

Para esquematizar, eu diria que o sujeito humano é o filho ou a filha da experiência humana, já que se encontra inscrito nela antes mesmo de seu nascimento. Ele está presente no desejo dos pais que preside o encontro deles, no momento em que o inconsciente dos dois parceiros, ou, pelo menos, sua intenção confessada é fazer de um e de outro o pai ou a mãe de uma criança. Sua captura no corpo é também sua captura na linguagem. O homenzinho é, de imediato, humano, pelo próprio fato dessa captura na linguagem. É justamente isso que leva a dizer que a divisão já está lá. Falar, para um ser humano, significa que ele é dividido. A divisão já está lá, inerente à estrutura mesma da língua. Isso me leva a dizer que o terceiro tempo, o do édipo, poderia se dar com um casal, pouco importando que ele seja ou não o casal genitor. A experiência do édipo condensa em si o vivido humano e permite a cada um, ao fim dessa experiência, ter acesso à metaforização de sua problemática individual. Lacan mostra como esses três tempos são vividos, se nodulam graças ao vivido cotidiano com um casal que o mantém.

A criança, explica Lacan[20], busca ser o desejo de desejo, o objeto do desejo da mãe, na esperança de satisfazê-la no lugar e posto do que a atrai para além de sua cara pessoa. Ele mostra seu pinto, como que para pergun-

---

[20] J. Lacan, *O seminário, Livro V, Les formations de l'inconscient*, Seuil, 1998, lições X e XI, pp. 179-212.

tar: "Sou capaz de alguma coisa?". É a etapa fálica primitiva, já que a criança se identifica em espelho com o que é o objeto do desejo da mãe. O segundo tempo é aquele em que o pai intervém como privador da criança e da mãe. O que é dirigido ao Outro como demanda retorna à criança como lei do pai enquanto concebida imaginariamente pelo sujeito como privando a mãe. Lacan chama esse tempo de tempo nodal, que destaca o sujeito de sua identificação com o falo imaginário e o liga, ao mesmo tempo, à primeira aparição da lei sob essa forma particular que significa que a mãe é dependente de um objeto que o outro não tem. Por isso, o objeto do desejo dela é, de alguma forma, deslocado, pois que é possuído pelo Grande Outro, à lei do qual ela remete.

Está exatamente aí a chave da relação do édipo: relação não mais com o pai, mas com a palavra dele. Ela constitui a essência mesma do terceiro tempo. A saída do édipo se dá pelo fato de que a questão, para o sujeito, não se coloca em termos do pai possuidor ou não do falo, mas do pai portador da lei. Essa lei instaura a instância fálica como um objeto de desejo da mãe; não mais como objeto do qual o pai, enquanto todo-poderoso, pode privar a mãe, mas enquanto ele dá à mãe o que ela deseja porque ele o tem. Nesse estádio, identificar-se com o pai, para uma criança, significa que ela decaiu de suas funções com a mãe, para sobressair, de alguma forma, como um sujeito que tem nos bolsos todos os títulos que lhe vão servir no futuro.

Parece-me necessário colocar isso, se quisermos avançar na definição do que constitui família. O que constitui família não é, pura e simplesmente, redutível ao laço biológico. Se fosse assim, a adoção seria uma operação inútil. O que constitui família é essa operação de subjetivação que permite à criança inscrever-se simbolicamente numa linhagem graças ao concurso de seus tutores e em função da posição de cada um deles, particularmente a mãe tutora, com relação ao falo. É essa posição que determina o lugar da criança na economia psíquica de cada um e, conseqüentemente, a natureza de sua entrada no édipo.

Cortes e continuidade

Como uma criança pode ter uma referência quando lida com várias famílias, sua família biológica e sua família de nascimento? Ela perde sua família biológica, ou a fizeram perder pela aplicação do artigo 350[21]; depois, falamos para ela de uma outra família, esta adotiva, ao passo que, por vezes, ela já conheceu uma família de acolhida. Para alguns, duas ou três famílias se sucederam em sua vida. Qual é a sua família? E como falar de família? A questão é a um só tempo legítima e falsa. É legítima já que se coloca em termos de continuidade: no caso de uma criança colocada ou de uma futura criança adotiva, os laços específicos que a mesma tinha com os pais são interrompidos repetitivamente. E, no entanto, quando se pergunta "será que isso constitui família?", a resposta é evidente: constitui família porque a família não se coloca em termos de laço constante, mas em termos de amor, psicologicamente significativo, no momento em que a criança teve contato com adultos. O que há de particular no caso dessa criança é que ela conheceu diversos adultos que lhe deram apoio quando ela tinha necessidade, e é isso que faz a especificidade de sua família.

Por um outro lado, a questão não se sustenta: quando nos perguntamos sobre o que constitui família, queremos dizer que isso constitui pai? O que constitui mãe? Como se a constância da pessoa que representa o papel para a criança fosse exatamente o que constitui família.

É preciso uma função materna; ela pode ser garantida pelas pessoas que cercam a criança. E se, verdadeiramente, a criança cresceu, conseguiu crescer, estabelecer contatos com os que estavam próximos dela, é porque, num momento ou noutro, ela os adotou e se identificou com eles.

Em suma, coloca-se a questão de o que constitui família e, ao mesmo tempo, esquece-se de relativizar essa noção. A história da criança colocada ou adotiva é o exemplo típico da relativização da noção de família. O que

---

[21] O artigo 350 (lei nº 76-1179 de 22 de dezembro de 1996, art. 8) especifica as condições que permitem ao tribunal de instância superior declarar uma criança como abandonada e delegar os direitos de autoridade parental ao serviço da ASE, ao estabelecimento ou ao particular guardião da criança. Para isso, é preciso que os pais se tenham manifestado desinteressados dela durante o ano que precede a introdução da demanda de declaração de abandono.

constitui família, para ela, são os significantes dessa família que lhe vêm e que são operantes em sua história pessoal.

É isso que me leva a considerar, durante as entrevistas, a eventualidade, para os candidatos, de adotar uma outra criança, ulteriormente, quando chegar o momento para eles.

Adotar mais de uma criança

C. Dumézil insiste muito nesse ponto: "É verdade", diz ele, "que o número não faz a qualidade de uma família, mas quando os laços fraternos, laços horizontais, existem ao lado de laços verticais, que ligam as gerações, os pais adotivos e o filho adotivo, a família se vê verdadeiramente consolidada. Quando há uma fratria, parece-me que podemos falar mais facilmente de família, mesmo porque a segunda criança adotiva não é adotada, com freqüência, por duas pessoas, mas por três. Ela é acolhida, em todo caso, por três pessoas. Se o primeiro filho adotivo já tem uma certa idade, essa segunda adoção tem o grande interesse de mostrar como se dá o encontro. Isso permite a ele, particularmente, viver como uma espécie de 'trabalho prático' a realidade da adoção tal como ele mesmo a viveu.

Quando os pais partem para o estrangeiro para acolher a segunda criança que lhes vai ser confiada, eles devem levar a primeira, se for possível. Pois isso desdramatiza a adoção – se fosse necessário – e, por outro lado, cria laços entre os irmãos, o que representa um elemento de consolidação e de segurança para cada criança adotada.

No fundo, o que constitui uma família? Sua característica essencial não é apenas ser um ninho caloroso, é também a segurança. Parece-me que uma família composta de mais de uma criança contribui, além do calor e da afeição, com uma certa segurança, mesmo que seja, em parte, ilusória. Acredito que, mais ainda que na família biológica constituída, a pluralidade de crianças adotadas numa família é importante"[22].

---

[22] C. Dumézil, entrevista privada com N. Hamad.

O laço de sangue

Nas falas dos assistentes sociais, assim como na ideologia que inspira as orientações da ASE, a família de origem é sagrada. Essa abordagem tende a privilegiar o laço filho-pais biológicos, às vezes arriscando-se a cair num excesso completamente prejudicial à criança e a seus pais.

Ao privilegiar o laço de sangue, nos arriscamos a nos tornar cada vez mais surdos à realidade do sofrimento de uma família que tentamos recompor a qualquer preço. Um exemplo corrente é o do juiz de menores que autoriza os pais de nascimento a retomar seus filhos, apesar dos relatórios alarmistas que os assistentes sociais colocam em suas mãos. Basta que a mãe ou os pais se apresentem, reivindiquem, chorem e façam chorar seus filhos para que o juiz, comovido, se deixe prender na armadilha do ideal familiar que consiste em juntar aqueles que o destino separou. Ou, ainda, que a mãe de nascimento ou os pais apelem ao serviço de um advogado para que sejam autorizados a retomar seus filhos.

Recolho muitos testemunhos de trabalhadores sociais atingidos por tais medidas e compartilho com eles sua incompreensão. Nos dias de hoje, é o recurso ao serviço de um advogado que parece o mais compensador. Graças a ele, as famílias de nascimento encontraram o antídoto que neutraliza completamente a ação dos juízes. Tanto esse recurso me parece necessário para a defesa dos interesses de uma família atingida pela medida de colocação, quanto isso pode se revelar contrário ao interesse da criança diante do todo-poder da família. É verdade que o retorno para a família se acompanha de uma medida de ação educativa em meio aberto, mas ela só tem valor se a família estiver consciente de suas dificuldades, o que raramente é o caso.

Essa situação não escapa aos jovens. Alguns me confiaram: "Prefiro o juiz. Ele, ao menos, me diz o que se deve e o que não se deve fazer. O advogado tem sempre tendência a nos dizer: veremos isso, não se preocupe com isso".

Lembro-me de ter evocado esse tema com F. Dolto em nosso livro *Destinos de crianças*[23]. Sua posição era clara: afastar as crianças de seus pais é

---

[23] F. Dolto e N. Hamad, *Destins d'enfants*, Gallimard, Paris, 1995.

uma medida necessária nas situações em que o risco físico ou moral para a criança é grande. Os maus tratos são um deles. Deve-se, então, a qualquer preço, colocá-la e não lhe permitir retornar para casa a não ser quando for capaz de fugir se seus pais quiserem bater nela. Ela deve poder se refugiar com seus avós, com um tio, um vizinho, até mesmo um educador.

A partir do momento em que ela é capaz de fugir, o perigo não é mais o mesmo, tanto no plano físico quando no psíquico. Fugir significa que ela ultrapassou a economia masoquista que faz com que a criança maltratada ame os maus tratos como sinônimo de amor dos pais.

No imaginário coletivo, lar rima com segurança, ao passo que segurança me parece antes remeter ao conforto moral para a criança e os pais, pouco importando se eles coabitam ou vivem separados. A adoção, observemos, é um caso extremo, no sentido em que a separação é a uma só vez radical e definitiva.

É por esse laço com o Outro, para voltar ao laço de sangue, que nos sentimos irmão ou irmã. Nós nos nomeamos "irmão" ou "irmã" quando algo da relação com os genitores funcionou afetiva e simbolicamente. Reivindica-se esse laço e essa filiação. Quando alguém declara "não me reconheço nessa mulher ou nesse homem", ele quer nomear, precisamente, o que não operou simbolicamente para permitir a cada um se referenciar quanto ao Outro e aos pequenos outros que são seus irmãos e irmãs.

Para que a família se torne simbolicamente um campo de inscrição, uma pessoa deve primeiro reconhecer-se em seus pais, a fim de que algo desse laço possa fazer mancha, destacar-se e inscrever as outras crianças como irmãos e irmãs.

Referir-se à lei

Segundo C. Dumézil, "a partir do momento em que o homenzinho está inscrito em algum lugar, mesmo que os irmãos e as irmãs não tenham os mesmos genitores eles têm um laço fraterno que a biologia não consegue fundar. Todos conhecem exemplos de irmão e irmã separados ao nascimento que se lançam um nos braços do outro reconhecendo-se como tais e fazendo como se a separação em nada tivesse enfraquecido o laço fraterno.

Mas esse laço não se limita à dimensão biológica. Se há adoção, é porque efetivamente algo da palavra estabelece um laço bastante forte para que as crianças e os pais adotivos se reconheçam como inscritos simbolicamente na mesma linhagem e para que esse laço se revele tão forte e tão verdadeiro quanto o do sangue"[24].

Os complexos familiares

O que chamamos "inscrição" e "lei" simplesmente simboliza um vivido comum em que a criança e seus tutores sofrem, se assim podemos dizer, um processo de subjetivação que faz com que as diversas partes saiam castradas, no sentido em que F. Dolto entende a castração. Em outras palavras, uma disposição possível para cada um inscrever o outro em sua economia psíquica, inscrição que se apresenta em termos de interdito. Os pais castram a criança e esta castra seus tutores, para deles fazer pais. Isso não está longe do que Lacan propõe em *Os complexos familiares*[25]. A família humana não é um fato biológico, mas uma instituição cultural que representa um papel primordial na transmissão dessa cultura. Ele define a noção de complexo como uma representação de uma certa realidade cuja atividade consiste em uma repetição dessa representação.

O complexo, ligado ao objeto, exige a comunicação que, em sua diferenciação, especifica o homem. Cada nova objetivação nasce do conflito da precedente com o real, traço subversivo que distingue a ordem humana de qualquer fixidez instintiva. Começando pelo complexo de desmame, Lacan torna visível a diferença radical entre instinto e complexo, demonstrando como essa primeira crise vital se resolve como intenção mental. A recusa do desmame funda o positivo do complexo, quer dizer, a *imago* da relação de nutrição que ele tende a restabelecer. Não sublimada, essa primeira *imago* subtende uma tendência suicida, que é simplesmente a tentativa de reencontrar o seio da mãe.

---

[24] C. Dumézil, entrevista privada.
[25] J. Lacan, *Les Complexes familiaux*, Navarin, Paris, 1984.

A sublimação do complexo constitui a unidade familiar e seus vestígios são visíveis em todas as buscas utópicas de uma unidade harmoniosa da humanidade.

Para o que diz respeito à fratria, Lacan introduz o complexo de intrusão, que inaugura, segundo ele, a identificação imaginária antes da agressividade contra o rival fraterno. Ele institui o arquétipo dos sentimentos sociais por uma nova dialética: o sujeito recusa o real e destrói o outro, ou o aceita como objeto.

Deve-se proteger uma criança adotiva de sua fratria biológica?

Recebi, em terapia, uma moça colocada numa família de acolhida com a qual isso não ia muito bem. Sarah, chamemo-la assim, tinha uma irmã colocada numa outra família, que a adotou depois. A adoção de sua irmã envenenou, de alguma forma, sua relação com sua família. Ela aspirava, no fundo, ser ela mesma adotada, mas isso não aconteceu. Desde a adoção de sua irmã, as duas meninas haviam perdido qualquer contato e Sarah não sabia mais como qualificar a natureza da relação que poderia haver ainda entre elas. Uma série de perguntas lhe vinha: será que ela ainda é minha irmã? Se sim, será que tenho o direito de visitá-la? Se me deixarem vê-la, o que serei eu para sua família? Serei como uma de suas filhas? Ou serei totalmente estranha? E depois: se me é proibido ver minha irmã, como se pode impedir um laço familiar de funcionar?

Era a primeira vez que eu ouvia alguém abordar a questão da adoção dessa maneira.

Sarah vivia, naquele momento, numa casa, em ruptura com sua família de acolhida. Seu questionamento referente a sua irmã me parecera doloroso, uma espécie de revolta contra o destino. Por que sua família de acolhida não a tinha adotado, ao passo que sua irmã o havia sido? O que havia de especial em sua irmã para que sua família a adotasse, enquanto que ela mesma se encontrava naquela situação bem pouco invejável? Ela queria vê-la, perguntar sobre esse laço ainda operante em sua cabeça, a fim de saber se a outra ainda estava sintonizada com ela. Que direitos tinha ela? Quais eram os direitos de sua irmã? Em outras palavras, alguma coisa tinha sido rompida pela adoção?

"– Em todo caso, no que lhe diz respeito, você continua a chamar sua irmã de 'minha irmã'", eu digo a ela.

"– Você acha que é da mesma forma para ela?

– Sua irmã foi adotada por uma família. Ela é menor e, portanto, tudo depende da vontade daquela família, que não é a sua família, de dar uma seqüência à sua demanda ou não. Sua irmã decidirá, quando for maior. Se há, nesse momento, uma ruptura do laço com uma família comum, essa ruptura não será definitiva se sua irmã, quando for maior, buscar ficar junto de você e reatar com você. Na medida em que a lei protege a família adotiva, nesse laço familiar adquirido, sua irmã traz agora um outro sobrenome e isso faz com que ela se inscreva legalmente em outra filiação".

Essas duas irmãs sempre tiveram o mesmo parentesco na cabeça, mas não na realidade.

As DDASS devem se empenhar em utilizar todos os recursos para impedir que irmãos e irmãs sejam separados, mas isso nem sempre é possível. Se elas não dão facilmente consentimento para as adoções de mais de uma criança de uma só vez, fazem exceção quando se trata de um fratria.

Para voltar àquela mocinha, seu pedido não me parece anódino, ao mesmo tempo me parece natural, pois ela põe menos em perigo a estrutura familiar adotiva que um pedido que consistiria em reencontrar os pais biológicos ou o filho adotivo feito por esses mesmos pais.

Quando um casal, depois de ter obtido seu consentimento, parte, no contexto da adoção internacional, para o estrangeiro em busca de uma criança, ele pode se deparar com um fratria de duas ou três. Mesmo só tendo o consentimento para adotar uma criança, ele avisa à DDASS que está pronto para assumir a adoção dessas duas ou três crianças. Como regra geral, a DDASS não põe obstáculos. Isso mostra bem que aqueles que pensam sobre o problema da adoção estão atentos para que irmãos e irmãs não sejam separados.

A adoção como conseqüência lógica da acolhida

O caso dessa mocinha sublinha um problema particular da adoção, ao terem as duas irmãs sido colocadas em duas famílias de acolhida diferentes. Para uma, a acolhida caminhou de tal forma bem que, num certo momento, a família se tornou – afetivamente, primeiro, realmente, depois – a família adotiva.

Essa família simplesmente concluiu o caminho que era o dela: ir até o fim de seu desejo de acolhida, quer dizer, adotar, quando isso lhe era possível – o que não era o caso para Sarah. Uma havia encontrado naturalmente seu lugar numa família, ao passo que a outra tinha um lugar pouco confortável, que consistia em ficar sozinha.

Para as duas, a separação ocorreu quando a equipe educativa tomou a decisão de colocá-las em famílias diferentes. De alguma forma, a equipe selou o destino delas. Tive várias discussões, a esse respeito, com alguns colegas da ASE que acreditavam na necessidade de colocar os irmãos e as irmãs em famílias diferentes, sob pretexto de que cada um encontraria uma família para si e, assim, evitaria entrar na rivalidade e na inveja fraternas. Quando explicava para eles que, justamente, era preciso que pudessem rivalizar entre si pelo amor do adulto tutor se quiséssemos que se tornassem irmãos e irmãs, eu tinha a impressão de não ser compreendido. Não podemos nos sentir irmãos e irmãs sem rivalizar por pessoas que tenham funções paternas ou maternas e sem que estas tomem essa rivalidade para si para torná-la contável e vivível. Algo de recíproco se inscreve numa cumplicidade pelo fato de que o adulto, algo de adulto, é capaz de significar para as crianças que só há laço possível pela impossibilidade de uma partilha equitativa e que cada um tem que lidar com a particularidade de sua demanda e com a insatisfação ligada a essa própria demanda.

O destino é sempre diferente

Esse caso exemplar, observa C. Dumézil, não é tão diferente do que se produz nas fratrias, a saber, que os irmãos e irmãs não têm todos o mesmo destino. Nos contos de fadas, há duas irmãs, uma muito bonita, a outra menos, ou até muito feia. Uma é boa e cospe diamantes quando fala, ao passo que a outra, feia, cospe sapos. Uma casa com um príncipe charmoso, a outra fica para titia.

"Essa injustiça fundamental, que é uma das constantes da vida, é encontrada no nível da adoção. A questão é saber se os responsáveis pela

ASE podem fazer alguma coisa diante de uma tal injustiça. Podem eles interferir no destino desses jovens ou não e, aliás, o que permite pensar que a jovem que foi adotada terá, afinal, um destino melhor que o daquela que não o foi? Isso não é dado de saída.

Não sei como tratar essa questão a não ser com posições de princípio. É verdade que não é desejável separar irmãos e irmãs. Deve esse princípio prevalecer em relação a outro, que é o de deixar correr quando uma oportunidade aparentemente feliz se apresenta para um membro da fratria? Parece-me que os trabalhadores sociais consideram importante testar a capacidade de uma família de acolher mais de uma criança de uma mesma fratria e analisam soluções caso a caso".

Não seria possível, por exemplo, sem exercer pressão sobre essa família, fazer de modo a que ela adote também a irmã? Não se poderia introduzir no contrato de adoção a proteção do laço entre irmãos e irmãs? Por que não conceber que uma criança adotiva mantenha uma correspondência ou um contato com um outra que ficou na casa? O que parece difícil de gerir num período de dez-quinze anos não o é tanto na escala de uma vida humana! Quando elas tiverem cinqüenta ou sessenta anos, podemos pensar que, apesar de seu destino parental diferente, elas reatem. Vemos isso quando guerras ou acontecimentos graves separaram famílias que se reencontram anos mais tarde, com, por vezes, um estatuto social completamente diferente.

Não são raros os exemplos em que o laço fraterno predomina em relação à diferença social. A questão da moça não adotada testemunha um certo frescor e inocência. A resposta a lhe dar é que ela tem o direito de encontrar sua irmã. Em todo caso, essa questão não pode ser abordada como a do segredo ou da garantia do segredo com relação aos genitores[26].

Ver as coisas do ponto de vista legal

Convém distinguir a adoção simples da adoção plena. Na adoção simples, a filiação de origem e, conseqüentemente, o nome de origem perma-

---

[26] C. Dumézil, entrevista privada.

necem. A filiação de adoção e o nome de adoção apenas são acrescentados aos primeiros. Portanto, é possível conservar intactos laços com a fratria biológica. A fratria originada nos pais adotivos não tem a obrigação de integrar a criança adotiva como um de seus membros e, por isso, esta não divide com aquela a herança familiar. Por outro lado, na adoção plena, o adotado é membro integral da família. Seu segundo ato de nascimento anula de forma total o precedente. Ele é considerado como nascido dos adotantes. O que quer dizer que, legalmente, os pais adotivos têm o direito de opor-se a qualquer ingerência em seu contexto familiar. Eles podem mesmo, certamente, rejeitar qualquer demanda que venha de um membro da família biológica[27].

O que ocorre num plano estritamente jurídico? É importante, com efeito, preservar os laços entre os diversos membros da fratria biológica da criança adotiva, é certo, mas com a condição de que seja com o acordo dos diversos protagonistas, em número de três, nessa questão: a criança adotiva, a família adotiva e o resto da família, compreendidos aí pais e fratria. As duas irmãs de que falamos conheceram-se pequenas, depois se encontraram diversas vezes após suas respectivas colocações; o contato só foi rompido após a adoção plena da caçula. É essa particularidade que dá legitimidade à demanda de Sarah, que a família adotiva deveria compreender e levar em conta. Digo "deveria", pois essa família tem a lei do seu lado e pode fazer uso dela de acordo com sua conveniência, quer dizer, aceitar ou não o encontro com a irmã.

De minha parte, só posso fazer Sarah notar que ela tem, de fato, o direito de se revoltar, de colocar questões sobre o porquê dessa evolução particular da situação familiar, de viver sua situação como uma injustiça, ou, ainda, de reivindicar sua irmã arrancada dela. Sarah se sentia sozinha pelo próprio fato de que esse laço com seus genitores ainda operava em sua cabeça. Ela se sentia sozinha porque algo desse laço funcionava de tal modo bem para ela que ela reivindicava, em nome desse laço, a restauração da fraternidade quebrada com sua irmã. Era mesmo por isso que reivindicava

---

[27] *La Bible de l'adoption*, de Josette Rejou (publicada por First no início do ano de 2000), é uma mina de ensinamentos sobre o tema.

para si essa filiação a seus genitores pela qual ela se nomeava e nomeava sua irmã.

Mas existe a lei que protege a intimidade de cada cidadão. Doravante, para Sarah, sua irmã se tornou uma pessoa qualquer, que carrega um patronímico diferente, e será a essa pessoa, quando estiver pronta para assumir suas próprias escolhas, que caberá tomar a decisão de reencontrar ou não sua irmã.

Por que se deve proteger uma criança de sua fratria?

C. Dumézil faz notar, todavia, que a proteção que a lei oferece às crianças adotivas e aos pais adotivos não é equivalente. Nos dois casos, ela visa permitir que a adoção se desdobre a longo prazo com o máximo de segurança afetiva para a criança. A lei protege a criança. Ela permite aos pais adotivos, ou, antes, ela estabelece os direitos deles e assegura-os de que a criança adotada em nenhum caso pode ser retomada. É possível que a existência de um irmão ou irmã ameace a segurança da criança adotiva porque ameaça a serenidade dos pais. Mas em que, se eles assumem plenamente a responsabilidade, a generosidade de seu ato, os pais adotivos seriam ameaçados pela aparição de um irmão ou uma irmã? Por que haveria rejeição do menino ou da menina da fratria biológica? Segundo ele, é inteiramente compatível com a coesão da célula familiar adotiva não esconder da criança que ela tem irmãos e irmãs. Com exceção, talvez, no caso de este ou de estes estarem ainda sob a responsabilidade dos pais biológicos, porque, evidentemente, isso ameaçaria suscitar uma rivalidade conflituosa prejudicial a todos, particularmente às crianças dos dois lares.

No caso dessa moça não adotada que não tem mais relação com seus pais biológicos, que está confiada a uma casa, em nome de que princípio se deveria esconder essa realidade da criança adotada? Ao contrário, os pais adotivos, sem que por isso se responsabilizem pela criança não adotada, deveriam poder assegurar uma certa ligação, ou, em todo caso, manter as condições para que, na idade adulta, as moças possam se reencontrar.

Isso remete a uma realidade. Enquanto a criança não é dona de suas escolhas, arriscamo-nos a nos chocar com a oposição da família adotiva ou do organismo responsável pelas adoções. É por isso que conviria, talvez, advertir os novos pais, antes de deixá-los partir com a criança, de que há irmãos e irmãs com os quais é desejável – estejam eles colocados em outras famílias ou confiados a uma casa – manter o contato.

Quando a criança não viveu com os pais de nascimento

As crianças que conheceram seus pais de nascimento, viveram com eles e se reconheceram neles são irmãos e irmãs, pouco importa que tenham ou não sido separados de seu meio de origem. Entretanto, o que dizer de uma criança que foi colocada a seu nascimento e nunca teve a ocasião de conhecer a mãe ou seus irmãos e irmãs? É o caso de crianças nascidas sob X ou confiadas, desde seu nascimento, a uma creche de abrigo. O laço de sangue é suficiente para dizer que são irmãos e irmãs? Biologicamente talvez! Mas pode-se reduzir uma família à simples dimensão biológica? Quando uma criança nasce sob X, ela chega sozinha. A escolha do nascimento sob X questiona o laço de sangue, mesmo que a mãe já tenha colocado no mundo outras crianças. O desejo da mãe não caminha no sentido da continuidade da linhagem, mas, antes, no sentido do dom de um enxerto que será integrado numa outra árvore genealógica.

O caso de Sarah mostra que, se uma família de acolhida deseja adotar a criança que lhe é confiada, a questão dos irmãos e irmãs lhe deve ser colocada. Cabe a nós, psis, levar em conta a resposta que é dada pelos postulantes. Nada permite lançar no opróbrio os que dizem: "Não, nossos meios não nos permitem ter vários filhos. Conhecemos X desde que tem dois anos e é ele quem queremos". Para esses, seria desejável que fosse dada uma ajuda, talvez mesmo pelo Estado, para que as razões materiais invocadas possam ser eventualmente superadas.

Em outras palavras, a separação de uma fratria vem, de todo modo, redobrar o abandono que permitiu a adoção e constitui um traumatismo potencial. Devemos considerar isso na avaliação da atitude de uma família de acolhida e ficar atentos à evolução de suas relações com os irmãos e irmãs.

Para dar uma resposta satisfatória a essa moça e ajudá-la a aceitar a realidade, sem se colocar fora da lei, é claro, seria útil poder explicar-lhe por que as pessoas que adotaram sua irmã foram autorizadas a fazê-lo sem que ela própria fosse adotada. Aqui, ainda, é preciso ver nisso razões plenamente honrosas e legítimas. Segundo C. Dumézil, pelo lado da família adotiva, somente razões materiais e econômicas podem justificar a recusa de adotar uma irmã.

É claro, em todo caso, que o fato de sancionar uma separação definitiva da fratria se origina em um desconhecimento profundo do interesse da criança.

Os significantes "irmão" e "irmã"

"Irmão" e "irmã" são significantes que os membros de uma fratria empregam para se designar ou designar os outros, pouco importando se eles saíram dos mesmos pais ou tenham sido reconhecidos como tais depois de um vivido em comum. As crianças colocadas em família de acolhida falam freqüentemente de irmãos e irmãs para designar os que têm a mesma mãe de leite. Nomeando os outros com esses significantes, eles se proíbem qualquer relação sexual entre si. Seu vivido comum e sua referência comum a um casal de acolhida os submete ao interdito do incesto, ao passo que a origem de seu nascimento não o impõe. As crianças pequenas qualificam seus pais de acolhida de pai e mãe, enquanto muitos mediadores sociais se empenham em lhes dizer que aqueles não são seus pais de nascimento, mas pessoas a quem elas foram confiadas pela ASE. As crianças entendem isso, sabem disso, mas vivem, assim mesmo, o casal de acolhida como pai e mãe. Elas os reconhecem nessa função porque esse reconhecimento é uma necessidade estrutural para elas. Isso lembra a educação sexual das crianças: explica-se a elas que as meninas não têm pinto, mas uma xoxota. Os meninos concordam, eles constataram, mas continuam a acreditar ferrenhamente que sua mamãe tem um.

É interessante ouvir como as crianças se nomeiam entre si, tenham ou não nascido dos mesmos pais.

Alguns pensarão que confundo os registros e tenho tendência a ocultar, ou, pelo menos, a negligenciar a origem biológica como laço que consolida a fratria. Mas pensemos nos casos – bastante freqüentes, aliás – dessas mulheres que só se sentem bem grávidas e que, após o parto, abandonam o recém-nascido para recomeçar algum tempo depois. O laço de sangue, na hipótese de que as equipes educativas chegassem a encontrar as pegadas de todas as crianças da mesma fratria confiadas no momento de seu nascimento e a reagrupá-las, se torna um valor simbólico pelo fato mesmo desse reconhecimento que o corpo social concede a esse laço.

Na oportunidade, esse não é o caso de Sarah. Sua demanda tem um sentido porque ela viveu com sua irmã durante três anos e se lembra disso.

Talvez seja isso que constitui família para ela, a memória. Isso constitui família para ela, constitui irmã porque, para além da origem comum, alguma coisa constitui memória, passado comum, história partilhável e contável.

Talvez se deva acrescentar algo que seria como que uma regra do jogo. Garantir aos pais adotivos a proteção contra qualquer intrusão da família biológica é um engajamento: não se deveria ter que prometer isso para os irmãos e irmãs.

Le bonheur est dans le pré é um filme esclarecedor a esse respeito[28]. Um pai desapareceu. Assistindo a um programa de televisão do tipo "Perdido de vista", toda a sua família acredita reconhecê-lo num homem que, na verdade, é completamente estranho a toda essa questão. Este é, por fim, adotado, mimado, amado e uma de suas supostas filhas leva a identificação tão longe que atribui a origem de alguns de seus traços de caráter à hereditariedade familiar, quer dizer, ao homem que ela adotou como pai.

Uma obra recente desenvolve uma tese que ilustra perfeitamente a evolução atual dos costumes na França e no mundo ocidental. Trata-se do que Agnès Fine qualifica de filiações eletivas, quer dizer, a adoção no sentido próprio, ou as filiações informais, como as vemos nas famílias recompostas. Ela escreve: "Esses laços voluntários têm como função a inscrição, real ou simbólica, da criança numa linhagem paterna e/ou materna"[29]. Ela continua: esses pais eletivos "são inventados pelos indivíduos como operações singulares que permitem a expressão de si, no seu parentesco, em suas

---

[28] *Le bonheur est dans le pré*, um filme de E. Chatiliez, 1995.
[29] Agnès Fine, *Adoptions*, obra coletiva, Maison des Sciences de l'Homme, Paris, 1998.

relações de trabalho ou de lazer". Deve-se daí deduzir que o futuro do laço familiar será eletivo? A evolução dos costumes deixa pensar que a estrutura familiar será, sem dúvida, chamada a integrar, cada vez mais, fratrias originadas em diversos leitos e, por isso, é provável que nossa concepção da família venha a ser profundamente modificada.

8

A revelação

A revelação: quando e por quê?

"Toda revelação de um segredo é o erro daquele que o confiou", escreveu La Bruyère. Um segredo só tem interesse na medida em que circula confidencialmente, como um rumor. Ele é de tal modo secreto que no Egito, antes da guerra de 1967, um aeroporto militar secreto era servido por uma estação de ônibus que se chamava Aeroporto Secreto.

O segredo de família é, freqüentemente, desse tipo. Todo mundo fala dele, mas ninguém o revela. Ele é objeto de discussão diante das crianças, por vezes a voz baixa, mas nada dele lhes é revelado. As crianças por vezes o conhecem, mas não estão autorizadas a saber dele, pois é um segredo. Constroem todo tipo de fantasias em torno dele, mas não têm a palavra adequada para dizê-lo. Os segredos de família constituem as mais belas obras literárias. São numerosos os romances inspirados por esse tema. Ele se presta perfeitamente à elaboração literária porque vai diretamente ao alvo. Pega o leitor desprevenido e o revela a si mesmo como *voyeur*. Olha-se o segredo de família através do buraco da fechadura. Ele não é a cena primitiva, mas engloba-a, por assim dizer, e é isso que justamente constitui seu atrativo.

Não é um segredo de Polichinelo; ele mobiliza em torno de si a economia psíquica de uma família, "Polichinelo e Henrique IV seriam perseguidos com igual empenho", observa Grimm em sua correspondência. O segredo de família é muito sério para se deixar expor; pior, ainda, freqüentemente é vergonhoso e, por isso, não dá ensejo a risos.

O que se entende por revelação? Há alguém bem situado para fazê-la? Ou será necessária a intervenção de um terceiro, de um arcanjo, à imagem da revelação divina, para abrir os registros de nossos espíritos? Recebendo os candidatos à adoção, já podemos ter uma idéia do que poderia ser ulteriormente a natureza do segredo. De imediato somos confrontados com algumas reticências que poderiam mais tarde se revelar pontos de tropeço na transmissão da história familiar da criança adotada. Os candidatos querem conhecer sua origem, mas todos têm medo de ter errado ao admitir ou ao formular isso claramente. Aconteceu-me perceber reações de rejeição à idéia, por exemplo, de adotar uma criança nascida de uma mãe que se prostituía, se drogava, ou sofria de uma doença mental, como se ela pudesse transmitir sua doença à criança, ou, ainda, de uma mãe vítima de uma violação coletiva. O ideal, para eles, é o filho de pais em dificuldade, o filho de uma mãe abandonada por um homem volúvel, o filho de um país em guerra ou em dificuldade econômica. Em outras palavras, uma criança que permita ficar solidário com os pais de nascimento ou com o país de origem, sem ter aborrecimentos quanto à particularidade de seu nascimento. Existe um anseio de compaixão com respeito a pessoas sofridas, mas não o desejo de assumir o fruto do gozo sem limite dos pais ou de uma mãe pouco recomendável. O medo da hereditariedade dita, com freqüência, essas reticências.

Deve-se revelar tudo aos futuros pais adotivos? Deve-se revelar tudo de sua história à criança? A questão permanece intocada. F. Dolto, que nunca parou de defender a idéia de dizer a verdade às crianças, opôs-se à idéia de revelar a história delas às crianças argentinas adotadas pelos generais carrascos de seus pais de nascimento.

Nós te adotamos

Certifico-me sempre, nos primeiros minutos da entrevista com os futuros adotantes, de que eles concordam com a única coisa que, basicamente, é unânime entre os especialistas: a criança deve saber que é adotada; é preciso que ela sempre tenha sabido. É preciso prever um momento que será um momento de revelação, porque não há bom momento e porque uma revelação tem um aspecto algo solene que produz sempre um efeito dramático. Convém pensar um dispositivo que permita ao bebê ser sempre defrontado com sua história. Penso, por exemplo, em fotografias que representem uma espécie de pequena reportagem sobre o encontro com os pais adotivos: se foram buscar no estrangeiro, a partida de avião, a chegada no país; as fotos da maternidade, da creche de abrigo, do lugar onde a criança vivia. Constitui-se um álbum que é a história da adoção e engaja-se os pais adotivos em fazerem dois exemplares deles: um guardado preciosamente no armário, outro, em papel comum. É importante que a criança possa manipulá-lo quase como um brinquedo, que ele seja um objeto com o qual tenha uma relação tátil – não somente visual – e que seja a materialização do que se chamará "nosso encontro contigo". A idéia não é que isso seja martelado e cravado, mas reafirmado com suficiente insistência. O álbum pode funcionar como um objeto transicional e (por que não?) como uma placenta adotiva que teria essa função de objeto transicional na fala entre a realidade do encontro e a fantasia do nascimento.

É preferível que nunca tenha havido revelação – ao menos, revelação sobre a materialização da adoção –, mas respostas às perguntas da criança. Digo aos pais adotantes: "É assim que a criança constituirá seu conhecimento do laço específico que existe entre ela e vocês. Ela vai colocá-lo na memória, se vocês lhe tiverem dado, desde que tiver três meses, elementos de informação dos quais ela fará a síntese progressivamente, em diversas etapas. Durante muito tempo, vocês pensarão que ela compreendeu, que sabe, que, por fim, apreendeu o que é ser uma criança adotada e, depois, vocês se darão conta de que não é nada disso. Então, vocês completarão a informação e, um dia, será feita a síntese na cabeça da criança. Dia esse talvez tardio, ou precoce, segundo as crianças".

O que o adulto esconde não é necessariamente o que a criança teme

Uma moça veio me consultar depois de haver tido acesso ao dossiê que delineava seu percurso de filha colocada até sua adoção. Estava de tal forma aflita que ainda chorava. Conhecia muitos elementos de seu passado e não ficara surpreendida com eles, mas o que mais a havia perturbado fora saber que sua mãe não tinha os pés no chão: "Preferiria saber que eles eram pobres, que viviam num pardieiro, que estavam doentes e o que mais quiserem, mas saber que ela vivia numa caçamba de caminhão e longe das pessoas é insuportável". Como se, sem casa e sem laços sociais, seus pais de nascimento tivessem perdido tudo aquilo que poderia ainda humanizá-los aos olhos de sua filha. A partir de então, era-lhe difícil encontrar uma desculpa para atenuar seu drama e amortecer o choque da revelação. A formulação "Eles certamente tiveram motivos", que os jovens empregam diante de nós para lhes conceder os benefícios da dúvida, não podia mais sair da boca dessa moça, que comenta amargamente: "Não temos o direito de descer tão baixo".

"Descer tão baixo" não representava, sem dúvida, todo o drama; talvez fosse apenas a gota que faltava para transbordar o copo; no caso, a ocorrência da falta de referência para situar algo de sua história no espaço e no tempo de uma comunidade humana. Para essa moça, a orfandade se redobrou por um desenraizamento total.

Muitas informações lhe foram desveladas pelos trabalhadores sociais e por sua família adotiva. Alguns hesitavam em revelar a prostituição de sua mãe, outros, o alcoolismo do pai assim como sua morte, que ficou inexplicada. Ela ficou chocada, mas não a ponto de ruir, como havia feito ao descobrir a caçamba do caminhão, com esse lar irrisório que a tinha recebido quando era bebê.

Eis o que dá à revelação seu caráter particular. Não é o que se pensa revelar sobre o que a criança ignora e não é o que se pensa ser chocante que produz um efeito de choque. Não deixa de permanecer que muitos atores detêm elementos da história de uma criança e que convém saber quem lhe deve dizer, e como.

É muito importante que toda informação passe pelos pais adotivos. A informação essencial é, evidentemente: "Você é uma criança adotiva". Mas informações mais detalhadas sobre as condições da adoção, do nascimento, do abandono e, eventualmente, tudo que se pode saber sobre os genitores são informações que fazem parte daquilo a que todo ser humano tem direito: o conhecimento de suas origens. Sobre esse ponto, alguns colegas se declaram favoráveis a uma abertura seletiva dos arquivos, convidando a administração a não revelar informações muito sensíveis antes da idade de trinta anos.

As crianças adotáveis não são todas iguais diante das autoridades de tutela, já que estas podem ser em si mesmas limitadas pelo procedimento de parto sob X. A fim de apreender o que implica esse tipo de parto, deve-se saber que, quando uma mulher pede parir sob X, é para conservar o anonimato que o hospital e a administração lhe garantem. Esse parto foi objeto de um debate intenso entre as pessoas envolvidas. Alguns gostariam de que a mãe deixasse alguns elementos de sua história, inclusive sua identidade, contra a promessa de guardar seu segredo, ao passo que outros, como Josette Rejou, advogam em favor da proteção do parto sob X, único meio de ajudar as jovens mães a escapar da culpabilização. Os poderes públicos, conscientes da fragilidade dessas mães, modificaram, graças à lei Mattei, de três para dois meses o prazo de "arrependimento". O julgamento concernente à autorização de adoção não pode, todavia, intervir antes de seis meses.

Aliás – e Josette Rejou tem razão ao enfatizar isso –, uma tendência liberal se esboça no seio do movimento anti-aborto, tendência que começa a trazer seu apoio às mulheres que desejam recorrer ao anonimato do parto.

Doravante, face aos moralizadores de todas as facções, a lei não utiliza mais o termo "abandono", falando, antes, de "consentimento para a adoção".

C. Dumézil diferencia a necessidade imperativa, para toda criança adotada, de ter "sabido sempre", quer dizer, o mais cedo possível, que foi adotada, justamente para evitar o caráter eventualmente traumatizante de uma "revelação" (sobre a qual nos perguntaríamos, aliás, a que idade deve ser feita), e as respostas a serem dadas à legítima curiosidade de um jovem adotado sobre as circunstâncias de seu nascimento e de seu abandono. Esse último termo jurídico soa mal, entretanto, na consciência identitária de uma criança ou de um adolescente, e sabemos que hoje em dia há muita adolescência prolongada... Não é certo que privilegiar a seqüência "dom" na palavra abandono"* acalme tanto um adolescente adotado quanto seus pais treze anos mais cedo.

É por isso que C. Dumézil preconiza valorizar, a título preventivo, o ato que permitiu a relação (bem-sucedida) adotiva, separando claramente a

---

* Em francês, o destaque é mais claro em *aban*don. (NT)

decisão responsável e corajosa de uma mulher que confia seu filho à adoção, por razões que às vezes podem ser vitais, da demissão frouxa de uma mãe que se livra de seu filho pela rejeição afetiva.

Ele acrescenta que a transparência das condições do abandono deve ser a regra, mas que as informações devem ser comunicadas com tato e discernimento. Mesmo que elas sejam dolorosas e penosas, um ser humano, adotado ou não, tem o direito de conhecer suas origens e sua história. Todavia, no interesse das pessoas e, em primeiro lugar, do adotado, o legislador (que tem no horizonte, hoje, suprimir o parto sob X) não deveria decidir por um prazo de trinta anos (como se faz para os arquivos históricos) para que o adotado, e somente ele, possa ter acesso à totalidade de seu dossiê?

"É preciso ter uma certa experiência da vida para apreender, sem muitos efeitos psicológicos dolorosos, certos elementos da própria história e, mais ainda, para apreciar com a distância desejável as conseqüências de uma eventual busca daquela que, trinta ou quarenta anos antes, pôs no mundo uma criança que ela não podia manter junto a si. Penso também nas conseqüências, para essa mulher – de quem se pode pensar/esperar que tenha podido fazer um 'luto' dessa criança para poder escrever outras páginas mais amenas de sua existência –, ao ver chegar em seu universo pacificado aquele ou aquela que se tornou estranho(a) a ela mesma, como ela mesma lhe é, de fato, estranha"[30].

F. Dolto não teve a oportunidade de ouvir as reações das crianças argentinas a quem foi revelada sua história. Algumas, apesar de sua profunda dor, continuam a se reconhecer em sua família adotiva, mas não no que ela fez. Elas, de alguma forma, separaram o que receberam e os atos cometidos por seus tutores. Em outras palavras, elas recusaram reduzir sua experiência com seu pais adotivos à dimensão repreensível que constitui para elas o assassinato de seus pais de nascimento. Essa posição é corajosa e muito honrosa. Ela lembra a dos combatentes que, após o cessar fogo, vão encontrar o outro, o inimigo de outrora, para lhe conceder novamente sua confiança. A vida retoma finalmente seu curso e o outro, sabemos disso com a psicanálise, ficará para nós o assunto de um mal-entendido por excelência.

---

[30] C. Dumézil, entrevista privada.

O direito de saber

O direito de saber é um direito admitido e reconhecido. Tanto adolescentes como adultos, muitos fizeram pedidos para serem autorizados a consultar seus dossiês. Alguns foram até o fim, outros mudaram de opinião e renunciaram a eles.

Para eles, era algo do tipo de uma curiosidade legítima: ter um endereço, alguns sinais, um nome, ou, simplesmente, saber que tinham direito a isso. Tenho a impressão de que, em suas cabeças, faltavam alguns elementos do conjunto, elementos que eles se esforçavam em construir, e de que eles tinham necessidade desses detalhes.

Seu questionamento girava com freqüência em torno da mãe: por que ela nos abandonou? Alguns, por vezes, formulavam a resposta: talvez ela tenha deitado com um homem que logo a seguir a abandonou e ela não teve meios de nos criar? Como se a responsabilidade do pai genitor fosse menor, marginalizada aos olhos deles: ele só deitou com uma mulher que se tornou mãe. A mãe é reconhecida como tal. Mas, mesmo em a reconhecendo nesse lugar, eles a desculpavam porque ela própria havia sido abandonada.

Ter trinta ou quarenta anos não me parece oferecer a garantia de que, confrontado(a) com os elementos "vergonhosos" de sua história, o homem ou a mulher reagirá bem, porque, afinal, o drama está presente: ter vergonha.

Lembro-me de uma moça que fez uma terapia comigo. Ela havia sido colocada em família de acolhida e verdadeiramente adotada afetiva e psicologicamente. Ela, aliás, só falava de papai e mamãe e parecia estar ao mesmo tempo à vontade e alegre com eles. O pai de acolhida e ela própria tinham um itinerário comum. Ele também havia sido colocado e sua mãe tivera o mesmo destino que a mãe da moça. Enquanto ele, um homem aposentado, sofria ainda cada vez que se evocava sua história, a moça, em troca, tinha aprendido a relativizar a sua, considerando que cada um é responsável por sua vida.

Não há – e o trabalho analítico confirma isso – idade ideal; há a idade que se tem em relação ao que, por uma certa razão, fica fora de idade. Nesse caso, a revelação se mostra traumatizante e a história, dolorosa.

A verdade

Há palavras, frases que, uma vez ditas, duram por muito tempo. "Deve-se dizer-lhe a verdade", de F. Dolto, é uma delas. Quando se vê o uso que hoje é feito dessa recomendação, parece necessário voltar a lhe dar seu sentido. Num primeiro nível de leitura, ela significa, para os pais: "Não se enganem, desvencilhem-se de idéias recebidas. A criança compreende e, porque compreende, é testemunha daquilo que se passa em torno dela. Portanto, deve-se dizer-lhe as coisas com as palavras de vocês".

O segundo nível é aquele que rejeita uma prática ainda corrente em nossos dias. Quantas vezes não ouvimos adultos anunciarem a uma criança que seu pai partiu para muito longe, pensando assim evitar-lhe a dor que a notícia de sua morte ameaçaria causar-lhe? É preciso, ao contrário, que ela seja confrontada com essa dor, porque ela também, do mesmo modo que o adulto, tem um luto a fazer e esse luto não se efetua a não ser na dor.

Há, por fim, um terceiro nível de leitura. F. Dolto enunciou essa recomendação de seu lugar de psicanalista e, quando se é psicanalista, não se perde de vista que a verdade não pode ser toda dita, uma parte dela nos escapa permanentemente. O psicanalista não pode exprimir a verdade de seu saber, porque ele é apenas suposto saber. Ele sabe que não tem garantia de um saber infalível ou de uma verdade toda. Há um lugar e esse lugar nos remete nossa mensagem. Por esse retorno, alguma coisa se revela. Em outras palavras, quando se enuncia "deve-se dizer a verdade à criança!", como não dizer sua verdade ou, ainda, como não alterar um saber que se possui sobre o outro? Nada garante dizer demais quando pensamos dizer a verdade à criança. Nada nem mesmo nos prova que o outro se reconhece em nossos dizeres. Como, por exemplo, escapar de nossos julgamentos de valor quando se anuncia a uma criança que sua mãe era uma prostituta ou que seu pai era um alcoólatra violento? F. Dolto e C. Dumézil, cada um a sua maneira, nos fazem entender que nem toda verdade é boa de se dizer; em todo caso, não antes que o sujeito esteja pronto para ouvi-la. Eu acrescentaria: não antes que ele faça sua essa verdade.

A verdade, nas crianças adotivas muito jovens, crianças em que podemos supor que a amnésia infantil apagou, de alguma forma, todos os traços de sua história pré-adotiva, se confunde – sem se reduzir a ela – com sua realidade. Essa realidade se constitui, fundamentalmente, no contexto dos pais adotivos. Ora, tudo o que vier invadir do exterior da célula familiar será um corpo estranho. Uma criança, salvo exceção, é levada a fazer a síntese dos ensinamentos que ela está reunindo em seu modo de relação com seus interlocutores parentais.

Tudo o que concerne ao nome de origem, à cultura de origem virá complicar a inclusão do enxerto, mas não impede que ela se dê pouco a pouco, em geral durante os seis primeiros anos. Os pais medianamente informados de psicologia – e esse freqüentemente é o caso daqueles que se lançam na aventura adotiva – sabem que é preciso, com efeito, falar com seu filho, ou, pelo menos, criar as condições de uma fala livre da criança sobre sua adoção. O conhecimento do fato de que é adotada deve ser destilado no tempo e não tomar a forma de um discurso organizado destinado a comunicar à criança a verdade. Por exemplo, é preferível, para uma criança de seis a dez anos, ouvir seus pais adotivos responderem à pergunta "por que fui abandonado?" a ter uma resposta vaga que apresente o abandono como uma ação positiva da parte de alguém que tem o sentido das responsabilidades e sabe que ela teria colocado seu filho em perigo se tivesse ficado com ele. Não há um modo de respostas e qualquer resposta só pode ser parcialmente satisfatória; a criança não tem outra escolha a não ser lidar com a insatisfação que a resposta engendra nela.

Dizer a verdade, sim, mas qual?

É importante dar à criança os elementos de sua história para que ela possa constituir sua própria verdade. Tudo depende da forma como esses elementos são manejados.

Não é, definitivamente, o que se pede aos pais? O problema é saber como eles mesmos assumem o que têm nas mãos. É na medida em que os pais adotivos estão à vontade, vigilantes quanto à particularidade da criança a adotar, que podem se comunicar de maneira positiva e valorizar a criança na especificidade de sua história. Em troca, se eles estão chateados, espantados, transbordantes, só podem desestabilizar. Isso nos remete ao que evocamos a propósito do racismo. Não se deve propor uma criança originária da

África do Norte ou da África negra a candidatos que deixam entender que se sentem incapazes de se confrontar com o discurso racista que atinge essas comunidades. Os três só podem ser infelizes. Quando eles explicam que "não queremos uma criança árabe, pois não queremos que ela sofra", devemos também ouvir: que ela sofra com nosso sofrimento.

Será que tais atitudes representam alguma coisa que poderia ser trabalhada? Qual seria, então, o papel do psiquiatra ou do psicólogo? Deve-se somente escutar? Ou analisar mais profundamente os elementos que os candidatos expõem? Se isso não faz parte de nosso trabalho, deve-se aconselhá-los a procurar alguém que poderia ajudá-los a melhor perceber o que se passa com eles?

Tem-se o direito, parece-me, de não querer adotar uma criança negra ou magrebina, ou uma criança manca, por exemplo. É uma questão de escolha e, sobretudo, de consciência. Não devemos culpabilizar os candidatos; temos somente que ouvi-los quando eles se expressam em termos de mal-estar pessoal: "Não nos sentimos capazes de fazer face à hostilidade ambiente frente a tal ou qual comunidade". Quando se tem a honestidade de confessar assim seu mal-estar, isso significa que o inconsciente está operando e, nesse sentido, há lugar, para o psicanalista, para receber esse mal-estar e retirá-lo de seu estado de simples observação e metamorfoseá-lo em questão. Em outras palavras, isso merece reflexão.

A revelação se dá ainda mais simplesmente, naturalmente, na medida em que os pais adotivos ultrapassaram seu próprio mal-estar referente a sua particularidade de casal estéril, por exemplo, ou, ainda, a particularidade da história da criança.

Para Dumézil, "é preciso guardar na cabeça, quando a revelação da história da criança se dá tardiamente, que as reações são sempre mais penosas e muito mais difíceis de retomar. Se são os pais adotivos que fazem a revelação, ela deve ter lugar na mais estrita intimidade, no mais estrito respeito à criança e a sua história. Os pais adotivos assumem melhor as reações da criança e a própria criança chega a confiar mais em seus pais que lhe revelaram sua história. As crianças adotadas dizem que o mais terrível é quando alguém de fora lhes revela sua história. A criança se pergunta por que seus próprios pais adotivos não o fizeram e, agora que ela sabe, o que fazer? Fica aí uma pergunta a que ela não sabe responder.

A inquietação dos pais relativa a uma etnia diferente é uma questão que se origina no imaginário. O que importa para a criança negra adotada por pais brancos é que, uma vez o enxerto incluído, ela tenha, frente a seu pai e a sua mãe adotivos, as mesmas facilidades de fala que teria se fosse o filho biológico.

Alguns pais dizem: 'Sim, mas a cor é o sinal visível de que não é nosso filho'. 'O que isso pode fazer', reponde C. Dumézil, 'já que, de qualquer maneira, ele sabe que não é filho biológico de vocês? Vocês lhe disseram, desde a mais tenra idade, ele sempre terá sabido que era adotado e que é assim que é filho de vocês, e que é uma escolha da parte de vocês'".

A criança menos sofrerá com um eventual racismo quanto mais tiver uma segurança afetiva nos pais adotivos, de tal forma que, à primeira observação racista na escola, por exemplo, ela troçará. Não devemos nos situar como juízes, mas pedir aos candidatos que pensem bem nessa questão da etnia, que não tomem uma decisão em nome de princípios filosóficos. Pais militantes anti-racistas podem recusar-se a adotar uma criança diferente porque a adoção não é o lugar da militância, mas o lugar da verdade inconsciente, por natureza íntima. Se candidatos à adoção têm resistências pessoais ou familiares e não conseguem ultrapassá-las, que falem disso e saibam registrá-las.

9

Cultura e país de origem

Por ocasião de um congresso consagrado à adoção internacional que ocorreu em Nantes, em outubro de 1995, D. Grange, ex-vice-presidente da EFA*, fez uma intervenção tanto tocante quanto plena de gratidão quanto a famílias e país de origem de crianças adotivas. A seus interlocutores, que só estavam presentes, de fato, por seus filhos já ali ou a vir, ela se dirigiu nos seguintes termos: "Gostaríamos de que esses países soubessem que nós, famílias adotivas dessas crianças que hoje se tornaram nossas, sentimos, a seu respeito, a maior gratidão pela confiança que nos deram, à distância, sem nunca nos terem visto, ao decidirem nos confiá-las para sempre. E pensamos que seus países, caros amigos, só podem se orgulhar por fazer tudo funcionar, quando a adotabilidade afetiva e jurídica de uma criança foi estabelecida sem contestação, para encontrar-lhe uma família estrangeira que lhe dará o amor de que ela tem necessidade para crescer"[31]. Essa passagem é muito bonita, é isso que se deve dizer às crianças adotivas e, acessoriamente, aos países de origem. Nós nos ufanamos deles, pouco importando sua cultura, porque aceitaram, por pequenos que sejam, o risco de se transplantar, de se enxertar numa família, de renascer numa nova língua e numa nova cultura.

Falo acessoriamente para o país de origem com correção, pois muitos não têm nenhuma política digna desse nome, nem o mínimo olhar para as

---

* Associação Enfance et Familles D'adoption. (NT)

[31] Dominique Grange, "La famille adoptive et le pays d'origine de l'enfant", em *Enfance et famille d'adoption*, nº 1-2, fevereiro de 1995, p. 19.

criabças ou as famílias em dificuldade. Mas deve-se, por isso, condená-los ou lançá-los ao opróbrio? Decerto que não, pois temos que ter uma certa gratidão à criança, a sua família e a seu país, que, de toda forma, deu a essas crianças a possibilidade de viver dignamente num outro contexto, digamos, mais favorável, ao menos materialmente.

A adoção internacional é a solução ideal para o problema de queda de natalidade na Europa?

Após anos de polêmica sobre a imigração, eis que a imprensa, impulsionada por homens políticos, nos anuncia que a Europa, e a França em particular, sofre de queda de natalidade e do envelhecimento de sua população. A Europa, segundo diversas estimativas, teria necessidade de muitas dezenas de milhões de imigrados até o ano 2050 para renovar sua população e manter sua taxa de crescimento. Se essas previsões forem exatas, a adoção internacional me parece uma resposta que chega no momento perfeito para satisfazer a demanda das famílias e a da nação.

Num plano estritamente econômico, a adoção não é um fenômeno rentável, se comparado aos jovens adultos que chegam prontos para integrar os circuitos de produção e constituem uma mão-de-obra barata. Criados, cuidados e por vezes educados e formados em seu país de origem, eles estão na plena força da idade. É uma solução ideal para os países que estão com falta de mão-de-obra. Mas esse quadro idílico tem seu avesso: a difícil integração desses imigrados. Muitos são originários de países de cultura e de religião diferentes daquelas que dominam na Europa ocidental. Essa mão-de-obra de baixo custo participa da prosperidade econômica, mas também da mutação sociocultural do país de acolhida. É o risco que essa situação acarreta, pois a acolhida dela implica a mesmo tempo sua pessoa e sua diferença. As crianças de pouca idade não colocam esse tipo de problema, pois são definitivamente assimiladas em suas famílias adotivas e na cultura dessas famílias.

Quando o abandono se mostra em todo o seu horror

A adoção internacional só atinge, entretanto, alguns milhares de crianças, quer dizer, uma cifra claramente inferior às necessidades reais da

Europa. Entre elas, algumas apresentam um quadro grave de hospitalismo. Assim ocorreu com essas três crianças que acompanhei em psicoterapia e cuja história me parece exemplar. Originárias de países ex-comunistas, elas foram criadas em creches de abrigos ou em orfanatos. Duas delas foram colocadas desde seu nascimento, enquanto que a terceira viveu um ano com sua mãe. As famílias adotivas as encontraram em seus países de origem, onde permaneceram o tempo necessário para os procedimentos administrativos. Portanto, haviam tido tempo para vê-las, conhecê-las um pouco e observar o modo de educação, por vezes singular, praticado nessas instituições.

As três apresentavam sintomas graves de hospitalismo, com os seguintes traços essenciais: a retração, a ausência de linguagem, a indiferença à presença do adulto e a deformação da imagem inconsciente do corpo. Essas crianças, que tinham entre dois e três anos, não andavam, não tinham nenhum uso de suas mãos nem de seus pés e também não tinham controle dos esfíncteres. Era-lhes necessário ficar firme na sela, pois, estendida sob o corpo delas, ela estava integrada como fazendo parte de sua pele. As famílias adotivas haviam experimentado enormes dificuldades para fazê-las aceitar o banho e o prato de comida. E, à falta de opção, as famílias lhes colocavam fraldas, para que elas consentissem em esvaziar seus intestinos conservando suas fezes. De forma alguma elas estavam inscritas na troca. Recusavam as carícias, o contato corporal, os beijos assim como as palavras e, em contrapartida, também nada demandavam. Eram quase que autônomas. Sabiam lamber a alimentação líquida diretamente dos pratos e se mostravam totalmente reticentes quanto a usar a colher. Arrastavam-se de modo particular, avançando com os ombros, dobrando os braços para as costas. E, quando lhes acontecia deter-se, interessar-se por algum objeto, seus dedos rígidos, praticamente emaranhados, tornavam a mão desajeitada. As mãos não haviam adquirido sua função de preensão.

Emitiam sons, um estalido específico da língua, para exprimir não se sabe bem o quê; ou davam pequenas pancadas repetitivas em suas testas com as costas da mão a cada vez que eram contrariadas. Não davam nenhuma indicação quanto à modalidade de troca com elas, pois evitavam tanto o contato quanto o olhar.

São as condições de sua guarda que me parecem mais estranhas. Suas creches de abrigo respectivas acolhiam um excesso de crianças cuidadas por pequenos grupos de profissionais que tinham toda a dificuldade do mundo em assegurar um mínimo necessário à sobrevivência delas. Ninguém estava bastante disponível para ficar com elas, acompanhá-las, falar-lhes, ou, pelo menos, chamá-las a fim de suspender-lhes o anonimato.

Falaram-me de uma creche de abrigo que recebe até cento e oitenta crianças para seis adultos, que são ajudados por alguns voluntários na hora das refeições. As crianças são alimentadas em cadeia. Uma mamadeira dada às pressas antes que o adulto que as alimenta se livre dela para alimentar a seguinte.

Crianças e adultos só tinham um contato funcional, interessado somente nos dois buracos, a boca a ser nutrida e o traseiro a limpar, mas nada além disso. Os brinquedos que uma família adotiva ofereceu à criança que lhe havia sido proposta para adoção tinham sido amarrados no alto da cama, fora do alcance dela. Era uma prática espantosa, mas a equipe não tinha espírito para aceitar a menor observação.

Uma família recebeu uma criancinha de origem cigana em adoção. Tendo a mãe adotiva observado que havia muitas crianças daquela origem oferecidas à adoção, a responsável pela creche respondeu, sem hesitar: "É normal, elas não são amadas".

Tanto essa adoção elogia as famílias que aceitam se responsabilizar por crianças que sofrem de abandono e discriminação, tanto esse exemplo incomoda, porque desnatura o espírito da adoção. A adoção é uma abertura para o outro, abertura por excelência, ao passo que uma semelhante prática, oferecer crianças da etnia indesejada para adoção, parece inteiramente condenável. Muitas dessas famílias avaliaram a miséria que reina nesses orfanatos e se sentiram implicadas na sorte das crianças que adotaram, mas também na daquelas que estão ainda à espera de adoção. Algumas tiveram a idéia de se organizar em associação com o objetivo de contribuir com um apoio às crianças das creches de abrigo, agindo como se um laço fraterno ligasse ainda seus filhos adotados com seus pequenos camaradas que continuaram lá.

Um quadro clínico grave, mas não irreversível

É interessante evocar, entretanto, a capacidade de recuperação surpreendente dessas crianças. Isso foi fulgurante no caso da criança que tinha vivido com sua mãe, porque muito rápido ela conseguiu se ligar aos adultos e adotar a linguagem falada deles. Por outro lado, aquelas que foram abandonadas ao nascimento tiveram um percurso claramente mais complexo. A diferença diz respeito, parece-me, ao fato de que a criança que conheceu sua mãe sabia dirigir seus sintomas [*symptômes*] a um Outro que a havia marcado e graças ao qual o recalque original operou. Para ela, a falta não era mais a falta da mãe, mas na mãe. Na medida em que a criança havia aprendido a dirigir seu sintoma a um Outro, um outro, que fazia a função de substituto materno, ela pôde recolocar em marcha um recalque que deve ser concebido como uma operação dinâmica sempre advindo. As duas outras crianças não tinham esse endereçamento. E a falta do Outro – ao menos do Outro materno – privou seu corpo real, para retomar as palavras de J. D. Nasio, de suas diversas imagens: visual, acústica e olfativa. "Podemos compreender então que a imagem visual do corpo é o reflexo luminoso do corpo real, que a imagem acústica do corpo é o reflexo sonoro do corpo real, que a imagem olfativa do corpo é o reflexo das emanações de odores do corpo real, e assim sucessivamente, com as diferentes correspondências entre as qualidades do corpo e suas diferentes imagens". Ele acrescenta: a imagem psíquica é inconsciente; ela tem uma dinâmica causal e efetiva. Quer dizer "que nossa imagem corporal não é somente móvel e inconsciente, mas que, além disso, induz efeitos precisos e reais nesse corpo do qual ela é a imagem"[32].

Para que essa imagem advenha e se constitua, é preciso que um Outro, a mãe ou qualquer substituto materno, esteja ali para receber a linguagem da criança e antecipar a hipótese do sujeito que o homenzinho representa no desejo desse Outro. Se a imagem é o reflexo do corpo real, é primeiro reflexo no espelho vivo que são o corpo da mãe e sua fala. É exata-

---

[32] J. D. Nasio, "Image du corps, un concept psychanalytique", em *Thérapie psychomotrice et Recherches*, nº 97, 1993.

mente o que faz com que F. Dolto diga que, para que haja um estádio do espelho, como desenvolvido pela teoria lacaniana, é necessário que haja uma imagem inconsciente do corpo. Duas imagens diferentes, mas complementares. "Como o corpo real já é um contínuo, a questão se decide entre duas imagens: por um lado, a imagem inconsciente do corpo e, por outro, a imagem especular que contribui para modelar e individualizar a primeira"[33].

Se as duas crianças aprenderam a aceitar sua mãe, a se dirigir a ela, a não recusar suas carícias, a deixar-se levar por tudo o que é cuidado corporal, é porque elas não eram autistas. E, se não o eram, é porque tinham sido criadas em grupo; cada uma tinha representado o eu ideal para a outra. Para uma criança que sofre de abandono, observa F. Dolto, o eu ideal pode ser uma pessoa ou um animal, até mesmo um objeto inanimado[34]. É por isso que ela considera o autismo como uma fixação no objeto que faz função de logro ao anunciar a "iminência da presença materna". O autista parece "ter caído na armadilha e pode deixar construir-se nele uma semiótica aberrante quanto ao código da linguagem"[35]. O gesto compulsivo nos autistas é uma das formas de aberração semiótica.

Pelo fato de terem sido criadas juntas, as crianças tinham encontrado, um após outro, seu corpo, seus gritos e seu odor, um mundo que as excitava e as mantinha à espera. "Quanto a mim", diz J. Lacan, "nunca vi um bebê que tivesse o sentimento de que não houvesse para ele o mundo exterior. É muito claro que ele só olha isso e que isso o excita e, meu Deus, nas proporções em que ele não fala ainda"[36].

Filmes rodados em creches de abrigo durante a Segunda Guerra Mundial mostram bebês criados em grupo em condições de extrema precariedade. Aglutinados entre si, cada um sugando a parte do corpo do bebê ao alcance de sua boca, é certo que eles se canibalizam, mas, ao fazê-lo, se apóiam uns nos outros para negociar a angústia relativa à ausência de objeto. O autista, quanto a si, não tem pequeno outro para constituir seu eu

---

[33] F. Dolto e J. D. Nasio, *L'Enfant du miroir*, Payot, 1987, p. 62.
[34] Ibid., pp. 53-4.
[35] F. Dolto, *Séminaire de psychanalyse d'enfants*, Seuil, 1982, p. 152.
[36] J. Lacan, *Séminaire XX*, 72-73, p. 53.

CULTURA E PAÍS DE ORIGEM

ideal e empregá-lo como pára-angústia. Abandonado a si mesmo, ele investe tanto um pedaço de seu corpo quanto um objeto inanimado que não tem nenhum correspondente quanto a sua linguagem de bebê, que um outro bebê, ao contrário, está pronto a receber.

Hoje Cécilia tagarela e sabe gratificar seus pais chamando-os de papai e mamãe, mas a linguagem falada não está ainda presente para que ela possa dizer mais sobre isso. Roman, que havia desenvolvido uma linguagem privada, abandona-a pouco a pouco em proveito do discurso comum que o liga a seu entorno. Acontece-lhe ainda viajar entre duas linguagens, mas a linguagem comum está suficientemente adquirida para fazer pensar que Roman terminará por recalcar definitivamente seu jargão.

É difícil dizer se essas crianças se recuperarão completamente ou se guardarão seqüelas que as poderiam prejudicar, a longo prazo. A adoção internacional, nessas condições, ameaça defrontar as famílias adotivas com situações dramáticas e não é garantido que elas sempre cheguem a assumir a patologia grave de que seus filhos são portadores.

Um destino singular

Um menininho africano, nascido com uma má-formação grave da vesícula e de uma grande parte de seu aparelho urinário, estava condenado a morrer se o acaso não tivesse colocado em seu caminho um médico da associação Médicos sem Fronteira, que cuidou dele e o transferiu para um hospital parisiense. Ele passou alguns anos em diversos hospitais, o tempo necessário para que fosse substituído completamente o aparelho deficiente e para que pudesse cuidar de si mesmo. Por fim, ele foi confiado à ASE, onde se tratava de lhe encontrar uma família de apadrinhamento. O acaso também desempenhou seu papel. Essa criança quis viver e o médico estava lá para lhe dar uma chance de permanecer viva. O destino é uma coisa extraordinária. Se pensarmos na taxa de mortalidade infantil na África, essa criança era mesmo feita para viver. Seus pais tinham, de toda forma, forçado o destino ao chamá-la Moktar, "o eleito".

Não houve notícias de seus pais durante suas diversas hospitalizações. Aliás, deixando entender que ele estava perdido para eles; sim, perdido, mas não morto. Os pais escreveram para ele: "Você tem chance, a França curou você; você deve uma vida à França".

A criança teve chance como todas as crianças adotivas, transplantadas, que recusaram, à sua maneira, abandonar-se à miséria das ruas, de uma megalópole, de um país enfermo de políticos, de sua polícia, de suas forças armadas, de sua administração, ou mesmo do pouco caso que faz do cidadão em geral e da criança, em particular. A criança sofre por ser ao mesmo tempo consumidora e improdutiva; portanto, pouco interessante a curto prazo.

Assim, o laço com o país de origem não é do tipo sagrado; só tem importância se a própria criança se interessa por ele. O lugar de origem geográfica volta freqüentemente no discurso dos candidatos à adoção e dos pais adotivos, que solicitam, com freqüência, conselhos relativos à natureza das relações que lhes é preciso manter com os países de origem.

Adoção, cultura, enxerto

As mesmas questões voltam: a que idade podemos dizer a nosso filho que ele é adotado? Será conveniente organizar um espaço que lhe lembre sua cultura de origem? Se eu adoto uma criança da Ásia, do Brasil, da Índia, devo, desde a mais tenra idade, dar-lhe informações particulares sobre o país em que ela nasceu? É isso que os pais adotivos denominam como cultura de origem. A referência ao enxerto permite relativizar a questão das origens. Com efeito, em arboricultura, uma vez o enxerto retirado e colocado em uma outra árvore, suas raízes são as da árvore de acolhida.

C. Dumézil estende essa questão a todas as crianças. "A coisa mais importante do mundo é que ela chegue a constituir para si uma identidade de sujeito. Essa identidade é constituída ao mesmo tempo por sua história e pela história que será tecida na relação com seus pais adotivos. Os verdadeiros pais são vocês. É preciso incorporar essa idéia no tempo preparatório à adoção: não há uma verdadeira mãe que seria aquela que colocou essa criança no mundo e você seria, senhora, uma mãe adotiva. Essa criança não terá outra mãe a não ser a senhora"[37].

---

[37] C. Dumézil, entrevista privada.

Se a mãe adotiva conseguir se libertar da culpa de ter ficado com um filho de outra mulher, ela estará mais à vontade para responder as perguntas de seu filho. A identidade não é mais a do país no qual ele nasceu, mas a que se constitui no triângulo edipiano da família adotiva.

Adotar uma criança no estrangeiro implica um duplo dom: o dos pais e o do país. Uma vez admitida pelos diversos participantes a idéia de trocar de identidade, é natural que a mudança de nacionalidade ocorra. A criança toma a nacionalidade de seus pais adotivos quando se trata de uma adoção plena.

Tudo depende, entretanto, da idade da criança no momento da adoção. Quando a adoção ocorre em torno da idade de dois ou três anos, a criança se estruturou à imagem de seus pais; aprendeu a linguagem deles, conheceu o meio familiar e se inseriu relativamente num grupo social. Em outras palavras, guarda na memória essas coisas, ainda que a amnésia infantil tenha feito seu trabalho de recalcamento.

F. Dolto relata um caso interessante de suspensão do recalque. Trata-se de uma senhora de certa idade, durante o curso de seu trabalho de análise. Uma frase se impunha a ela, sem que a paciente ou o analista chegassem a compreender de que se tratava até que ela se lembrou da ama indiana que a criara desde o primeiro ano de sua vida. Então, ela procurou alguém que lhe traduzisse aquela frase. De encontro em encontro, acabou achando uma pessoa que lhe revelou que se tratava de uma cantiga de ninar que as mães, naquela região da Índia, tinham o hábito de cantar para seu bebê.

É mais ou menos o que se passa com Freud quando ele encontra significantes de sua língua materna, o iídiche, nos sonhos e em sua auto-análise, ao passo que ele afirma ter esquecido completamente essa língua.

Pensar a cultura em termos de estrutura linguageira

Tudo depende, pois, da idade de adoção. Será que uma criança que realizou seu édipo com uma mãe ou com um pai recebeu alguma coisa da cultura deles? Os freudianos ortodoxos localizam o início do édipo em torno de cinco-seis anos, ao passo que sabemos, com Lacan, que há um contínuo do édipo, que se trata de uma estrutura instalada desde o nascimento.

É melhor pensar a cultura em termos de estrutura linguageira que em termos de estrutura edipiana. De modo algum a adoção é a mesma se a criança não adquiriu ainda a linguagem ou, se fala, se parou de falar sua língua materna para falar uma outra. Podemos pensar em termos de cultura quando uma criança fica à vontade na língua da mulher que a colocou no mundo. Antes, é mais um laço privilegiado, específico. Seria completamente abusivo se, porque ela nasceu na América Latina, acreditássemos que, tendo algumas semanas ou alguns meses, ela tem uma relação privilegiada com essa cultura, tão importante quanto seja.

Acompanhar o desejo da criança

A resposta que me parece convir é dizer aos pais adotivos que poderão acompanhar o desejo da criança se, mais tarde, ela se interessar por seu país de nascimento. Mas é preciso evitar qualquer posição marcada que consistiria em afirmar: sim, é preciso um laço ou não é preciso. Essas duas posições excessivas devem ser proscritas. É importante não confundir o desejo de fazer tudo certo com o desejo da criança, nem confundir a curiosidade perfeitamente natural de uma criancinha ou de um adolescente em relação ao país em que nasceu, a sua pré-história, com um investimento particular numa determinada cultura. A curiosidade pode se transformar, no curso dos anos, em um investimento real e sério, que, nesse determinado momento, deve ser apoiado por atos. Por exemplo, uma criança pede para aprender a língua do país de onde vem, quando – como freqüentemente ocorre – a perdeu; ou, ainda, ao terminar seus estudos secundários, volta-se para uma aprendizagem ou para estudos superiores que lhe permitem compreender melhor, ou até mesmo inserir-se profissionalmente no país de que é originária. Nesse caso, não se deve frear, mas encorajar, sem, com isso, provocar esse desejo: ele existe ou não.

Por vezes, as questões podem parecer contraditórias. Assim: deve-se ou não ajudar essa criança a encontrar seu país? Os pais então têm a idéia de passar férias, com ela, no país ou na região de seu nascimento a fim de lhe permitir melhor conhecer a história de suas origens. A esses pais, eu respondo: "Não é porque ela nasceu nesse país que é preciso estigmatizá-lo como um lugar de férias. Se ela concordar, que vocês vão!". Ouvindo tais questões, sobreveio-me um pensamento: a família adotiva leva muito longe os escrúpulos pelo cuidado de reconstruir a história da criança, mas exclui desse procedimento a família de origem. Por que não encontrar – já que estamos nessa questão – a família de nascimento? Minha reflexão pode parecer provocante, mas, se retomo o problema por esse ângulo, é para sublinhar a perda original, perda no real que a criança adotiva, como qualquer outra criança, sofre e que nada mais pode preencher. O que se perde no real encontra sua expressão no simbólico, na cultura. Não há retorno possível à origem, pois o tempo nunca deixa as coisas em seu lugar.

Quando tudo transcorre bem, a história da criança, a história de suas origens com freqüência é vista e revista com simpatia pelos pais adotivos. Ocorre de outro modo quando, por uma razão qualquer, a criança coloca problemas. Algumas vezes, ouvimos comentários do tipo: "não sabemos, talvez tenha relação com sua história, com seus pais"; ou, pior ainda: "talvez as pessoas de lá sejam assim". A hereditariedade, em suma!

10

Em que idade se deve adotar?

Muitos candidatos à adoção, como vimos, demandam um bebezinho, sem história, sem caráter, para criá-lo à sua imagem. Em nossas discussões, F. Dolto sugeria ao menos dois períodos propícios à adoção: no nascimento ou bem mais tarde, quando as identificações com os pais, dizia ela, já estão feitas. Fala-se agora de adoção mútua.

No que se refere à colocação de uma criança mais crescida em vista de adoção, uma experiência fracassada me fez refletir. Uma menina de sete ou oito anos havia sido colocada pela equipe com a qual eu trabalhava numa família candidata à adoção. Nós havíamos explicado à família que iríamos confiá-la pelo período das férias de verão; eles poderiam viajar com ela e, assim, teriam o tempo necessário para decidir juntos, sem precipitar as coisas. Acreditávamo-nos prudentes, ainda que pensássemos ter escolhido um casal sólido capaz de se pronunciar.

Nós nos enganamos em todos os níveis. As férias foram um fracasso retumbante e o casal desistiu, depois, da idéia de adotar uma outra criança. O que havia ocorrido? Tudo, exceto o que supúnhamos ter considerado para tornar essa estadia a mais banal possível.

As férias em família se revelariam um verdadeiro pesadelo para todo mundo. A menina, que por muito tempo vivera em creches de abrigo, não tinha "modos", era praticamente "selvagem", andava com os "meninos, insensível à diferença de idades", era "impudica", "se despia na frente de todo mundo, mostrando sua intimidade a todos os que estavam de férias", "ia comer com uns e outros, sem a menor reserva". Em suma, o quadro era sombrio e o casal ficara com vergonha. Tinha a impressão de ser desconsiderado aos olhos de todos (isso se passava num camping) e não sabia mais se devia defendê-la ou se defender dela. Os dois se sentiam incapazes de dizer "Não é nossa filha", mas nem por isso se reconheciam no seu modo de vida. Por fim, encurtaram sua estadia e, de retorno a casa, entregaram a criança à creche de abrigo.

As coisas não pararam aí. Culpabilizado por esse fracasso, o casal rejeitou a responsabilidade por tudo isso atribuindo-a à equipe, reprovando-nos por ter-lhe escondido a verdade: essa menina era já uma mocinha, não havíamos respondido ao desejo deles de adotar um bebê. Nós os havíamos enganado de A a Z. Para coroar tudo, o casal renunciou a sua demanda de adoção.

Esse caso mostra que evidentemente é mais fácil adotar um bebê que uma menina maior, que tem "seu caráter". A adoção de uma criança mais velha convém mais, sem dúvida, a uma família com filhos, que já se defrontou com as dificuldades relacionadas às diversas idades da infância, da pré-adolescência e da adolescência.

As três idades

De acordo com Claude Dumézil, "três idades, em particular, conferem à adoção um caráter sensivelmente diferente.

– A primeira é, evidentemente, a idade muito próxima do nascimento, quando, em certas condições, em alguns países estrangeiros, é possível acolher um recém-nascido ou uma criança de algumas semanas. A segunda idade se situa entre dezoito meses, idade da estrutura linguageira, e cinco-seis anos, idade das identificações.

Se se adota uma criança de mais de dezoito meses, deve-se saber que as estruturas linguageiras estão já instaladas, mesmo que ela troque de língua, o que é perfeitamente possível, pois as crianças aprendem uma língua estrangeira muito rápido. Mesmo que ela troque de língua, sua língua materna não será língua de sua mãe adotiva, nem de seu pai adotivo, e, por isso, insistirá um laço forte com a origem de nascimento.

Se se adota uma criança de dezoito meses, as estruturas de linguagem certamente começaram a se instalar fora do código dos pais adotivos, mas não suficientemente para que o acabamento da relação do sujeito com a linguagem não se faça, no entanto, nesse código, o que parece um fator importante para que o enxerto vingue.

Depois da idade de seis anos, poder-se-ia encontrar uma palavra diferente da palavra 'adoção', mesmo que se a mantenha para seu sentido jurídico. Parece que, a partir daí, é um outro tipo de relações que se nodulam entre um sujeito já constituído e uma família de acolhida educativa que se tornará sua família adotiva e que mais permanecerá numa relação de afetuosa hospitalidade que numa de parentalidade"[38].

É por isso que é melhor falar de criança adotiva, exatamente como se fala de pais adotivos, a fim de pôr o acento no fato de que a criança adota seus pais e, por isso, se coloca e é colocada como sujeito responsável por seu ato e pelas implicações desse ato.

É o que se chama "adoção recíproca". No momento em que a criança se torna ator*, torna-se relativamente responsável por sua vida; não se lhe dá uma família dizendo a ela "é sua família". Organizamo-nos para que ela possa conhecer algumas e será ela quem dirá: "gostaria muito de que aquela fosse minha família". É uma adoção do tipo da adoção adulta. Nesse sentido, difere radicalmente da adoção de um recém-nascido ou mesmo de uma criança no momento em que ela adquire a linguagem.

A família de acolhida é prioritária

Quando a criança é colocada em família de acolhida, a adoção pode ser visada ulteriormente, uma vez a criança tendo se estruturado à imagem do casal que toma conta dela, ou, pelo menos, quando ela se sente suficientemente segura de seu laço com essa família para poder ir para outras sem se sentir abandonada.

Os trabalhadores sociais se dividem entre a oportunidade de colocar uma criança em família de acolhida, quando sua adoção é visada, quer di-

---

[38] C. Dumézil, entrevista privada.

* Preferimos aqui manter a palavra "ator", mesmo com a aparente incorreção gramatical. A palavra "ator", em sua origem, remete a ato. (NT)

zer, quando seu estatuto jurídico o permitir, e a colocação em creches de abrigo, a fim de evitar a sua família de acolhida ligar-se a ela e tornar sua adoção difícil.

Já há alguns anos, as DDASS tendem a dar às famílias de acolhida que desejam adotar as crianças nelas colocadas prioridade em relação às famílias aceitas para a adoção. Essa orientação, parece-me, é boa, pois é a prova de que uma colocação, quando se desenvolve bem, significa que pais de acolhida e criança colocada constituem uma família psicológica, como se fala de pais psicológicos. A adoção vem confirmar uma adoção que não dizia seu nome. Conheci famílias de acolhida que adotaram crianças que lhes haviam sido confiadas; a adoção se desenrolou sem dificuldades, para a alegria de todos.

A família de acolhida autoriza a criança

Muitos trabalhadores sociais se perguntam hoje sobre a oportunidade de uma colocação em família de acolhida antes da adoção. Dois casos exemplares podem se apresentar:

– a situação do bebê é clara; ele nasceu sob X, ou sua mãe concorda em dá-lo para adoção,

– a situação não é clara e o bebê fica em creches de abrigo, às vezes durante anos. Nesse caso, a colocação familiar se justifica plenamente e, por conseqüência, a adoção ocorre relativamente tarde.

Os trabalhadores sociais envolvidos no problema pensam, não sem razão, que, no caso em que a criança se ligue a sua família de acolhida, sua partida em vista de sua adoção ameaça reatualizar seu primeiro abandono.

Essa observação me parece justa, mas creio, entretanto, que a família de acolhida pode autorizar a criança a adotar uma outra família, na medida em que puder ultrapassar o ciúme, a rivalidade, ou o sentimento de ser desapossada da criança, e se tornar um aliado indefectível no processo de adoção da criança por outra família. Ela pode tranqüilizar a criança, explicando-lhe que conhece a outra família, que confia nesta, que é uma boa família, uma boa mãe e um bom pai para ela, e explicitar seu gesto: "Você sabe, sou uma mãe de acolhida, uma ama de leite, é meu trabalho. A outra, se você estiver de acordo, será sua mãe adotiva; você carregará o nome da família e terá, talvez, irmãos e irmãs adotivas". A família adotiva também é, de algum modo, adotada pela família de acolhida.

Conheci muitos casos desse tipo. Tratava-se de crianças que eu acompanhava em terapia e que foram adotadas. As famílias de acolhida se mostraram formidáveis em seu apoio. Antes de partir, as crianças me apresentaram sua nova família e, quando me disseram que concordavam em adotar esses novos pais, eu os parabenizei por sua escolha recíproca.

Alguns pais adotivos me perguntaram sobre o que tinha exigido a terapia; eu lhes respondi: "Pois bem, é preciso que a criança possa subjetivar, possa apropriar-se de tudo o que lhe aconteceu e fazer o luto de sua pré-história". Eles compreenderam perfeitamente.

Questões narcísicas: família de acolhida, família adotiva

A questão narcísica com respeito aos pais de nascimento é diferente segundo se trate da família de acolhida ou da família adotiva. No primeiro caso, a colocação tem sempre uma boa ou uma má conotação. A criança é primeiro descolocada – às vezes sem a concordância de seus pais –, antes de ser colocada. Essa solução foi encarada e escolhida porque algo não ia bem para ela na sua família. Confiar a criança a uma outra família implica que esta ofereça a segurança necessária ao bem-estar daquela, segurança que lhe faltava em seu meio de nascimento. Freqüentemente isso é vivido pelos pais de nascimento como um reconhecimento que lhe é recusado. Alguns se defendem: "Se me dessem o dinheiro que a família de acolhida recebe para ficar com meus filhos, eu não estaria em dificuldade com minha família". A rivalidade aumenta e, pouco a pouco, a família de acolhida desagrada, até mesmo causa indignação nos pais de nascimento. Aconteceu-me ouvir coisas inverossímeis, sobre as quais usavam o testemunho de seus filhos colocados. Estes, divididos entre amor e lealdade, não sabiam mais quem amar e quem denunciar.

A rivalidade adquire um outro aspecto na adoção. É a família de acolhida que fica mais ou menos na posição da família de nascimento, por duas razões: a família de adoção não pede dinheiro; deseja a criança pelo amor por essa criança e, em nome desse amor, lhe dá seu nome e lhe legará seu patrimônio. Depois, a situação se inverte. Se há culpa, é da parte da família de acolhida, culpa com relação a alguém que sabe amar sem ser retribuído por esse amor e com relação à criança, que, freqüentemente, não espera melhor que ser adotada por sua família de acolhida.

A rivalidade se instala, mas não é mais a mesma. Não se trata mais de boa ou má família, mas de duas boas famílias das quais uma é paga, sabendo que não adotará a criança.

Nesse caso, valorizo o aspecto profissional da colocação na família de acolhida: "Vocês fizeram o que era preciso. A história da colocação dessa criança terminou com vocês. Vocês a apoiaram bem e, agora, ela tem ainda necessidade de vocês para ir para sua nova família, confiar nela e adotá-la". Tive, assim, várias experiências em meu consultório de analista. Havia a família de acolhida, de um lado, a família adotiva, de outro; elas já haviam se encontrado em diversas ocasiões e se conheciam muito bem. A criança ia de uma a outra, abraçava-as, até que, por fim, a família de acolhida dissesse à criança: "Estamos felizes por você. É uma boa família, confiamos nela e já a amamos como sempre amamos você". A criança, então, se autorizava a se separar dela e partia de mãos dadas com sua família adotiva.

A atitude dos pais adotivos por vezes era exemplar. Eles sabiam respeitar o engajamento afetivo da criança na família de acolhida e sua transferência para com o analista. Outras vezes, mostravam-se apressados; desejosos de construir uma intimidade com a criança, julgavam necessário ter um momento para se encontrar com ela. Eles me pediam que interrompesse o tratamento em curso com ela, argumentando que, se o caso fracassasse, retomariam contato ou trabalhariam com alguém que estivesse lá.

I I

A criança adotiva não é uma criança "com particularidades"

Aconteceu-me observar um fenômeno particular, uma espécie de atitude reacional, em certos pais adotivos. A partir do momento em que a criança estava com eles, começavam a associar tudo a suas decisões educativas, como se não estivessem mais seguros da maneira como agir com ela. Será que essa criança pode participar de colônia de férias? Ou ir à escola em tal idade, quer dizer, como qualquer uma? Ou freqüentar um internato escolar sem se sentir abandonada por seus pais?... A idéia que subtende essas questões é que as crianças adotivas sofreram um trauma de separação que uma nova separação, mesmo que mínima, ameaça reatualizar.

Uma certa angústia subjaz à atitude desses pais e os impede de dar à criança seu estatuto de criança como qualquer outra. A escola imediatamente sabe que ela é adotada e o professor se mostra particularmente atento a uma criança que ele tem tendência a, por sua vez, adotar. Esses "professores adotivos" às vezes solicitam minha opinião sobre o tipo de pedagogia que se deve definir para ela, porque a percebem frágil. Eu me encontro com essa parte de angústia que circula e que faz com que cada um que participa, ao perder um pouco de seu saber-fazer, busque um conselho de algum outro, *a priori* mais competente.

A angústia em relação ao não-conhecido

Muitos casais, futuros pais adotivos, me perguntam: "Mas, senhor, segundo a sua experiência, as crianças adotadas são mais difíceis que as outras? Diga-nos como ela é". Eu lhes dou uma resposta que pretende ser tranqüilizadora, isto é, que as crianças adotivas não estão mais expostas que as outras a dificuldades psicológicas. No entanto, quando elas acontecem, em geral são um pouco dramatizadas, do lado da criança assim como do lado dos pais adotivos, pelo fato, justamente, dos não-conhecidos ligados a sua origem e à própria adoção. Os pais adotivos freqüentemente tendem a atribuir à adoção situações que toda criança ou todo adolescente atravessa, durante as quais ele se mostra difícil e menos gratificante.

A hereditariedade talvez tenha um sentido particular, uma outra dimensão, que tento introduzir em minhas entrevistas: "É uma criança que está na casa de vocês desde tal idade; ela foi criada graças à presença de vocês, ao apoio de vocês, a suas palavras e a tudo que vocês lhe deram. Em suma, digam o que disserem, se existe uma tara que está funcionando agora, excetuando as taras biológicas, é a de vocês. É a hereditariedade familiar, porque o filho de vocês tem uma família e essa família doravante são vocês. Chamemo-la como quisermos, hereditariedade social ou cultural. Quando eu a qualifico como hereditariedade, é porque a criança se estrutura identificando-se com seu pai, ficando perto de sua mãe; seu mundo arcaico é, efetivamente, aquele de sua família adotiva. A hereditariedade não é mais a cultura de seu pai genitor ou de sua mãe de nascimento, mas aquela que vocês tiveram sucesso em lhe inculcar para lhe dar o patrimônio cultural de vocês".

Todos nós temos, sejamos adotados ou não, uma parte importante de um patrimônio genético que nos escapa completamente, pois, tão longe quanto possamos remontar em nossa história familiar, há um momento em que se cai no não-conhecido, não importa o que digam aqueles que afirmam a pureza de sua "raça" ou de sua família. O chato, na criança adotiva, é que o não-conhecido está próximo, está presente a partir da geração dos genitores.

A hereditariedade familiar no sentido cultural me lembra este filme maravilhoso, *La vie est un long fleuve tranquille*[39]. Somos, afinal de contas, à imagem daqueles que nos criam.

---

[39] Um filme de E. Chatiliez, 1988. Uma criança de família pobre substitui a de uma família rica. Vemos nele como ela se adapta às condições de seu entorno.

Esquecer que é um filho adotivo

Certo dia um professor me telefonou, inquieto: "Senhor, soube que fulano, uma criança adotada, está em terapia com o senhor. O que o senhor pensa? Devo agir assim ou assado com ele?".

Para os professores que pensam que deveriam fazer algo mais, minha resposta é a seguinte: "O trabalho de vocês é ensinar, o resto não é de sua competência. O terapeuta dela é o terapeuta dela e você é o professor dela, ou sua professora; faça o que você sabe fazer, como você faz com as outras crianças. Esqueça que ela é uma criança adotiva ou colocada; aliás, se você não esquecer isso, você vai cair rapidamente numa situação afetiva que vai colocar os dois numa armadilha".

Quando uma criança descobre os benefícios secundários de seu estado de criança especial, ela se faz adotar por todo mundo.

Por outro lado, acontece, por vezes, de a criança ser adotada justamente por causa de sua particularidade. A adoção de crianças com prejuízos é um exemplo disso. Equipes especializadas têm como missão encontrar famílias adotivas ou de apadrinhamento para crianças muito pouco procuradas. Tive a oportunidade de encontrar algumas dessas equipes e pude avaliar as dificuldades delas. O recrutamento é feito entre os candidatos que formulam claramente o desejo de adotar uma criança com prejuízos ou doente. Freqüentemente, esses candidatos têm filhos e desejam, por razões diversas, humanitárias e filosóficas, dar uma chance a uma criança que não a teve muito. Desejo de reparação, desejo de doação e de abertura que não é o de qualquer candidato.

Um comentário vem, com freqüência, a respeito deles: eles têm mérito. E é verdade. No entanto, rejeito a idéia de dar em adoção uma criança com "especificidade" sem garantias máximas. Uma tal colocação, que se pretende solidária, humanista, filosófica ou religiosa, pode se revelar como um verdadeiro calvário para o conjunto de sua família. Lembro-me de uma discussão com F. Dolto sobre uma criança adotada que ela me havia encaminhado. Ela própria se situava, relativamente, na origem dessa adoção e apoiava a criança e sua família nesse empreendimento difícil. A criança era seriamente deficitária e a família me parecia muito motivada, mas – eis aí! – muito frágil. O argumento de Dolto era simples. Acolher uma tal criança consiste em reconhecê-la como sujeito tanto do desejo de alguém que a aceita como ela é quanto em seu desejo de criança que aceitou o risco de viver nas condições difíceis que são as suas.

F. Dolto partiu desse *a priori* de que compartilho, mas conhecia pouco a família e o drama no qual ela vivia. Ela confiava nessa família.

Foram suficientes alguns encontros para descobrir o inferno cotidiano que se tornara a vida familiar. A criança era maltratada, a mãe adotiva estava num estado depressivo gravíssimo e o pai de adoção, completamente excedido, espantado, não sabia mais o que fazia. Foi necessário tempo para que essa família superasse sua culpabilidade e confessasse seu desejo de se separar da criança para proteger todo mundo. Quando a separação teve lugar, depois, as coisas nem por isso melhoraram. A criança ficou durante algum tempo numa família de acolhida, pela qual ela foi rapidamente rejeitada, e, por fim, parou em hospital psiquiátrico. A continuação disso eu soube mais tarde.

Michael morreu no hospital. Seu corpo ficou muito tempo no necrotério, pois lhe recusavam uma tumba, até que a antiga família adotiva, sabendo da notícia, se manifestasse e fizesse os encaminhamentos necessários para lhe oferecer uma sepultura. Ele se fez, afinal, adotar uma segunda vez pela mesma família.

Essa história é ainda mais trágica na medida em que partiu da vontade de F. Dolto e dessa família de promover aquele sujeito, ali onde o sofrimento tendia a reduzir Michael ao estatuto de criança prejudicada. Mas eis que, nesse afã de abertura humana, de solidariedade com uma criança sofredora, a família havia esquecido de avaliar seu próprio sofrimento. Talvez Michael tenha conhecido momentos de ternura, momentos de cumplicidade com os diversos membros de sua família, mas também foi maltratado. Um mau trato que era a outra face, não-conhecida, daquilo que o pai e a mãe de adoção consideravam humano e desinteressado.

A adoção de crianças com particularidades exige muita disponibilidade, muito trabalho e muita confiança, mas essa confiança, quando é concedida ao sujeito que está chegando, se constrói no dia-a-dia em função do vivido dos parceiros envolvidos pela adoção, não em função de um projeto que se considera absolutamente viável.

O caso de Michael é, primeiro, um testemunho de modéstia em relação à complexidade desse trabalho e, depois, um reconhecimento do que as equipes desenvolvem como tesouros de engenhosidade para colocar essas crianças e assegurar a perenidade das colocações.

Tive dois pais

Uma menininha adotada declarou a seus colegas, certo dia, que tinha dois pais. Todos lhe responderam que só se tinha um. "Sim, sim", insistiu ela, "eu tenho dois pais e até duas mães". Risos e incredulidade terminaram por semear a discórdia no pátio da escola até que um inspetor interviesse para restabelecer a ordem. Explicou-se-lhes que era erro de Marie, que não parava de contar bobagens: "ela acha que tem dois pais e duas mães". Escutando as reprovações de uns e de outros, o inspetor pensou que devia falar da situação de Marie: "Há alguém, dentre vocês", perguntou ele, "cujos pais se divorciaram ou voltaram a se casar?". Sim, respondeu uma criança do grupo. "Pois bem, você tem dois pais e duas mães". Marie, então, protestou: "Meus pais não são divorciados". O inspetor, um pouco surpreendido, a fez notar que só se tem um pai e uma mãe, dando, sem querer, razão a seus colegas. Zangada, ela foi embora com a impressão de ser incompreendida e, em todo caso, traída por um inspetor que não sabe o que quer.

Entrando em casa, Marie se queixou a sua mãe, que então levou-a para me ver. Eis como isso aconteceu em meu consultório:

"Ninguém quer acreditar que tenho duas mães e dois pais. Nem mesmo o inspetor".

Marie se vira para sua mãe e a interroga:

"Mas, de fato, por que eu tenho duas mães?

— Eu já disse a você, você é uma criança adotada.

— Então você não é minha verdadeira mãe?

— Sou sua verdadeira mãe de coração.

— E a outra?

— Foi ela quem pôs você no mundo, mas não podia ficar com você. Aliás, eu já disse isso tudo para você.

— Sim, mas agora todos os meninos e as meninas de minha turma me dizem que isso é impossível.

— Porque eles não sabem que você é adotada. Eles compreenderiam se você lhes explicasse que você tem uma mamãe de nascimento e uma mamãe de adoção e que você também tem dois pais.

— Na verdade, mamãe, você é minha verdadeira mamãe; eu não conheci a outra.

— Se você quer assim.

— Você a conheceu?

— Não.

— Eu gostaria muito de saber como ela é.

— Acho que você sabe, um pouco. Os filhos se assemelham, em geral, a seus pais. Você poderia ter seus cabelos, ou seus olhos, ou sei mais lá o quê.

— Então, eu não pareço com você?

— Sim, sim. Acho que você anda como eu, você fala como eu, você usa meu perfume e, às vezes, meu batom nos lábios".

Marie me olhou como que para me tomar como testemunha e, quando lhe perguntei se tinha a intenção de revelar a seus colegas que era uma filha adotiva, ela me respondeu, maliciosamente:

"Isso ficará como uma charada para eles.

— Pois bem", eu comentei, "eles só têm que encontrar a resposta".

Se conto este caso, é porque Marie, no fundo, me colocou a mesma charada. Eu praticamente nada tinha a dizer durante essa entrevista. Contentei-me em escutar a discussão, de uma extrema inteligência, entre uma filha e sua mãe. As duas vieram nada menos que para falar em presença de uma terceira pessoa e para lhe deixar essa pergunta: se havia duas, será que uma seria mais verdadeira que a outra?

Que a verdadeira mãe seja a mãe adotiva é uma verdade, mas não a do inconsciente. A verdade do inconsciente é aquela que o sujeito em devir teria que, eventualmente, construir durante uma análise, por exemplo. Estabelecer que a mãe adotiva é a verdadeira mãe é situar o corte que existe, para todo ser falante, entre os significantes que o constituem e a linguagem que o cerca um pouco mais tarde que com as outras crianças. Esse corte – e toda criança a ele é submetida – se dá entre os significantes de sua pré-história, que presidem sua vinda ao mundo, da história de sua primeira infância, da qual uma grande parte é esquecida, e sua linguagem, conquistada pelo sujeito desejante que ela representa. Acontece, durante uma psicanálise, de um analisante encontrar significantes totalmente esquecidos. Acontecerá o mesmo para a criança adotada, que poderia encontrar os de sua mãe de nascimento ou de sua vida com ela.

Afirmar que a mãe adotiva é a verdadeira mãe é dar o justo valor relativo à noção de verdade.

Entretanto, posicionando-nos ao acaso, cometemos, talvez, uma aproximação no plano do rigor psicogenético, se podemos assim nos exprimir, mas reforçamos, valorizamos aquela que será a portadora, que será a primeira representante de um grande Outro materno, lugar de fala para a criança.

O que se passou no nível do desejo da mãe de nascimento ficará, com freqüência, para sempre escondido, mas a análise mostra que todos estão nessa situação.

Acontece, durante uma análise, de um paciente adulto, ao ver seus pais doentes, tentar obter informações sobre o que foi sua primeira infância, seu nascimento, mas isso fica, freqüentemente, alheio ao sujeito em análise, pois são reminiscências de um outro, que poderão ser integradas na história do sujeito por meio de suas diversas elaborações e construções.

É por isso que, quando recomendamos aos adultos tutores de uma criança que lhe digam a verdade, deve-se entender isso em termos de verdade eventual, de verdade cotidiana. A verdade, como a entende a psicanálise, não pode ser toda dita e, se o for, é porque ela fala em nós.

A verdadeira mãe, Salomão a conhecia, mas, se há verdadeira mãe, é aquela que se manifesta através da experiência e do vivido do corpo de cada criança, aquela que se reconhece e é reconhecida como tal.

A questão do verdadeiro

A verdadeira mãe ou o verdadeiro pai são relativos à escolha e ao vivido afetivo da criança. É seu testemunho que nos guia para compreender algo do que chamamos verdadeiro pai ou verdadeira mãe. Uma criança adotiva, como qualquer outra criança, é capaz de designar os verdadeiros pais. Mas designá-los como tal é, antes de tudo, nomear as funções que um e outro teriam suficientemente preenchido a fim de permitir à criança estar no lugar onde se encontra no momento em que os nomeia – pouco importa seu verdadeiro estatuto – para sua função de pais.

O resto se origina na castração. Nada podemos conhecer de uma vida que não vivemos, que poderia ter sido a dessa criança, com sua mãe e seu pai de nascimento. Sua verdadeira vida é a que ela viveu com seus pais adotivos e sua vida de rapaz ou de moça é a que está vivendo e construindo no dia-a-dia. Trata-se, de todo modo, de um desprendimento em relação à origem que permite que o desejo do sujeito se desloque e mude de natureza. No fundo, todos os pais sabem bem o ponto a que se chega um dia: uma parceria com seu filho, na qual os desejos devem ser tratados de pessoa a pessoa, de sujeito a sujeito.

Essa problemática nos envia ao sentimento de dívida que se experimenta com relação à família. O que podemos dar, em troca, à família adotiva? Essa questão é menos aguda quando se trata da família de nascimento. Para F. Dolto, a dívida com relação aos pais se paga com os filhos, pois se trata de uma dívida com relação à vida. Talvez se devesse entender nesse sentido a questão do verdadeiro e do falso. Os pais adotivos não deram a vida; eles apenas a mantiveram e a tornaram vivível. O sentimento de dívida para com eles é o mesmo?

É difícil responder, mas, observando o embaraço dos pais adotivos, a tendência deles, por vezes, a associar o meio familiar à educação da criança, a dívida parece bem presente: deu-se-lhe essa criança e eles se sentem, de algum modo, devedores tanto deste alguém quanto do corpo social.

Uma particularidade... particular

Recebi uma mocinha acompanhada de duas educadoras com a finalidade de um trabalho terapêutico. Essa grande adolescente havia sido colocada em família de acolhida depois do fracasso catastrófico de sua adoção. Ela só mantinha, com a mãe adotiva, relações episódicas e cada encontro era marcado por uma extrema violência. Cindy não queria vir, mas, como não tinha escolha, optara pelo silêncio enquanto as educadoras me apresentavam sua história. Ela, que se mantinha tranqüila, de olhos baixos, perdeu as estribeiras quando uma educadora julgou necessário precisar que ela era uma filha adotada.

Pedi, então, às educadoras que saíssem e nos deixassem sozinhos. Ela retomou sua primeira atitude, dando-me a entender que era inútil continuar. Expliquei a ela que não era obrigada a falar comigo e que, em todo caso, meu trabalho só seria feito com o seu consentimento. Acrescentei, depois: "Cindy, já trabalhei com uma equipe que lidava com adoções. Aprendi muitas coisas, particularmente uma coisa muito importante: uma adoção só funciona se a criança adotar seus pais adotivos. Antes desta constatação, eu pensava que era suficiente encontrar um bom casal para que tudo corresse bem. Pois bem, não. A criança tem algo a dizer, uma escolha a fazer e, se não levarmos isso em conta, a adoção se torna difícil e a seqüência imprevisível. Então, eu queria dizer isso a você".

Como o silêncio permanecia, precisei que era a mesma coisa com a terapia; nós dois precisávamos estar de acordo.

De minha parte, calei-me. Ao cabo de alguns minutos, disse a ela que íamos ficar por ali; ela me olhou e disse o seguinte: "Não sei como me livrar de tudo isso".

Cindy fez a entrevista com a intenção de me dizer as coisas à sua maneira. Eu a fiz notar que, se os outros se exprimiram sobre suas dificuldades, ninguém podia saber em seu lugar.

Era minha forma de fazê-la entender que ela tinha algo a dizer, agora mais do que nunca. Adotar seus pais era, doravante, uma decisão dela. Separar-se deles também. Eles poderiam adotar-se novamente, desde que cada um pudesse interrogar-se sobre seu desejo pelo outro e sobre o lugar dado ao outro, ou que poderia novamente lhe dar.

Apresentá-la como uma menina adotada, mas não adotiva, parecia lhe colocar o enigma desse contrato considerado como ligando os diversos parceiros, mas que se tornara letra morta. Era justamente isso a particularidade de sua situação: como se livrar desse laço que a marca tanto mais porquanto não a prende? Ser adotada significava, para ela, estar presa na armadilha de uma história na qual seu papel consistia em não ser mais que o objeto do desejo de pais supostos.

O que se deve fazer com esse contrato quando nada vem validá-lo, cotidianamente? Pode-se denunciá-lo e, "como uma mulher casada, retomar seu nome de solteira"? Cindy achava mais natural, mais verdadeiro voltar ao que ela qualificava de realidade natural, ser nascida de um homem e de uma mulher antes que ter um nome que não combinava com a natureza íntima de seus sentimentos por pais de momento.

Ela se perguntou em voz alta, diante de mim, que não tinha parado de me perguntar em voz baixa. Cindy tem, agora, um duplo luto a fazer, luto que talvez pudesse chegar não à adoção de seus pais biológicos, mas a se reconhecer numa referência ao nome, aquele que Lacan chama o nome do pai. A rejeição de sua família adotiva exorcizou, de toda forma, sua história antiga, o que lhe permitiu inscrever-se numa filiação aos pais ausentes porque os pais da realidade, que ela rejeitou, lhe serviram para desenvolver seu imaginário ligado ao romance familiar e, ao mesmo tempo, para tamponar esse imaginário. Assim fazendo, Cindy se teria apoiado em dois casais para deles destacar a referência simbólica que iria, doravante, se tornar sua família.

Apressar-se docemente

A história de Cindy ilustra a dificuldade de ser pai e de ser mãe, mas também a de ser a filha ou o filho de seus pais reais ou supostos. Em adoção, freqüentemente lidamos com pais potencialmente apressados em ser os pais de alguém. Lidamos também com crianças, notadamente quando estão em creches de abrigo há algum tempo, apressadas em serem a filha ou o filho de um casal de pais. São numerosos os adultos surpresos e comovidos porque uma criança colocada numa creche de abrigo o(a) chamou de pai ou mãe e lhe deu a mão para ir com ele ou ela.

Quanto mais os pais estão com pressa, mas arriscam viver com dificuldade as reservas legítimas de bebês que lhes são confiados. Os sinais de reserva que o bebê manifesta com relação a seus pais adotivos não devem ser necessariamente compreendidos como uma rejeição. Ao contrário, se uma criancinha, ou (por que não?) uma criança maior se comporta assim, é porque ela é agora capaz de apoiar-se em seu entorno íntimo para se livrar, se separar do que a liga ainda a seus pais de nascimento.

A pressa em ser pai ou mãe não deveria fazer esquecer que, para a criança, a memória é ainda viva e que esta memória deve ser acolhida por seus novos pais e integrada no que a palavra deles vai oferecer como continuidade, uma vez feita a separação. A história da criança se inscreve tanto melhor em seu novo meio quanto ela chegar a recalcar os elementos insistentes que ameaçam mobilizar sua economia psíquica em torno de seu efeito traumático.

O mal-entendido freqüente entre pais e crianças adotivas acontece quando os pais interpretam a tepidez da criança a respeito deles como uma confirmação da má sorte que os atinge. "Ela nos cansa, é malcriada. Diríamos que ela sabe coisas sobre nós e nos rejeita". Ao passo que, se a criança parece dar sinais de resistência com relação a seus novos pais, é porque ela teve um laço forte com sua mãe de nascimento ou com seus tutores. Ela é como um recém-nascido; mesmo que recuse o seio num primeiro tempo, não está, por isso, desamparada. Seu corpo pode ainda contar com o que foi armazenado quando ela estava no ventre da mãe. Uma criança adotiva pode, da mesma forma, contar com um laço ainda operante para poder resistir a seu novo entorno sem, por isso, se sentir abandonada.

12

E, no entanto, isso funciona

Freqüentemente me interroguei sobre a natureza desse contrato que liga seres entre si sem se fundar nas referências habitualmente evocadas para definir a entidade familiar clássica. Não se trata de um núcleo fundado no laço do sangue ou de um grupo pequeno constituído segundo as obrigações que as leis de aliança secretam, mas de um contrato moral que o corpo social oficializa pela outorga do patronímico dos pais adotivos. E, no entanto, isso funciona. De tal forma que, pouco importando a idade da chegada da criança em sua família adotiva, o interdito do incesto opera como numa família biológica. Existem casos de incesto, é claro, mas não mais freqüentes que nas famílias de nascimento. O interdito do incesto marca também, com seu selo, os irmãos e irmãs criados juntos enquanto irmãos de leite, quer dizer, sem portar o nome patronímico de sua família de acolhida.

Aliás, convém falar de contrato quando essa escolha é guiada pelo desejo inconsciente dos sujeitos envolvidos? Ele deve ser entendido como quando se fala de contrato entre o analista, por exemplo, e seu analisante. Trata-se de uma demanda e essa demanda toma emprestado o caminho do analista, porque é preciso um endereçamento no aqui e agora para abrir esse endereçamento ao lugar do Outro. É preciso um suposto saber para que os fios da história subjetiva do sujeito comecem a se cruzar e recruzar na trama familiar. Como um pêndulo, para ser colocado na hora, precisa soar as horas a serem alcançadas cada vez que o ponteiro grande faz a volta do quadrante, senão haveria uma defasagem entre o que é indicado e o número de batidas.

Se o adulto, na sua abordagem da psicanálise, apela ao suposto saber, convocando-o a suprir sua falta em ser, a criança, em troca, está nessa relação com os pais. De acordo com sua idade, ela está na ligação com o Outro todo-poderoso, seja na transferência familiar ou no que Freud chama a neurose de transferência. Os pais, sejam eles de nascimento ou adotivos, estão ali para receber essa transferência e, conseqüentemente, para tomar para eles a angústia que tende a desestabilizar seu mundo afetivo ou para bloqueá-la, virando sua veleidade de comunicação para uma linguagem outra que a da fala. Para o adulto, na transferência, o tempo, os fragmentos do passado surgem para se impor inadequadamente com relação à realidade, ao passo que a criança, com sua família, inscreve numa historicidade o tempo que começa a se desenrolar para ela graças à presença e à ausência de seus pais e, sobretudo, graças a seus significantes, cuja vocação é ser conquistados por ela para se tornarem seus.

De que contrato se trata? De um contrato simples que consiste em fazer com que o interessado perceba que não se deitará com ele, que ele pode dizer tudo que passa por sua cabeça sem sofrer represálias de qualquer natureza da parte do outro parceiro e, sobretudo, que nunca se buscará tirar partido de sua fraqueza, de sua confiança ou de sua dependência psíquica ou afetiva.

Quando se coloca uma criança em uma família tendo em vista a adoção, ou, simplesmente, sua educação, só se trata do seguinte: a criança será respeitada e protegida, seu corpo e sua intimidade serão colocados a salvo de qualquer agressão, sua história lhe será sempre devolvida sem julgamento de valor nem justificativa – que só servem, aliás, para tornar as coisas mais opacas.

A experiência me ensinou que os pais que perdemos de vista se congelam num estatuto de mortos vivos que continuam a freqüentar a memória das crianças e as impedem de fazer o luto deles. Conheci jovens e alguns menos jovens que escrutam os passantes com a secreta esperança de encontrar o pai perdido. Um rapaz me disse: "Quando vejo um homem da idade que supostamente meu pai teria, procuro, discretamente, ver se há traços de semelhança entre nós".

O exemplo de Céline, de oito anos, ilustra perfeitamente a necessária volta ao que parece ser um ponto de ancoragem em sua história a fim de se apoiar nela e se liberar dela, em seguida. Céline me foi envida com a idade de dois anos pela equipe de uma creche de abrigo em que fora acolhida quando era bebê. Vivera nela até seus cinco anos, antes de ser confiada a uma família de acolhida, à espera de que fosse considerado seu estatuto jurídico. Pus fim ao atendimento terapêutico em acordo com ela e com sua família de acolhida. Todos tínhamos razão em nos deter aí, porque Céline ia muito bem e sua inserção no seio dessa família não colocava problemas. Céline se manifestou dois anos mais tarde, quando, pela aplicação do artigo 350, se instalou um projeto de adoção por sua família de acolhida. Sabendo da novidade, ela pediu para me encontrar, pois tinha coisas a me dizer. Vi chegar uma moça ao mesmo tempo encantada e intimidada por me reencontrar. Ela, primeiro, evocou algumas lembranças de seu trabalho comigo, depois falou de seu desejo de rever seus pais de nascimento antes de adotar sua titia e seu titio. Eu lhe expliquei que isso seguramente seria difícil, porque seus pais de nascimento não se haviam manifestado quando o serviço da ASE tentara fazer contato com eles. E acrescentei: "Talvez você tenha necessidade de lhes dizer ou de lhes perguntar alguma coisa! É isso?

— Quero saber por que um papai e uma mamãe não vêm ver seus filhos, e quero saber também se têm uma casa e que não são pobres.

— Isso é tudo?

— Quero também a bolsa de maquiagem que eu tinha quando era pequena. Eu me lembro dessa bolsa, me lembro também de meu pônei azul que eu maquiava, com um verniz vermelho".

A bolsa de maquiagem e o pônei azul faziam parte dos objetos que eu colocava, habitualmente, numa caixa, à disposição das crianças. Céline tinha visto esse pônei e, de fato, se divertia em maquiá-lo durante as sessões. Ela havia decidido que era seu e queria, todas as vezes, levá-lo. Como eu recusava dá-lo a ela, terminamos por encontrar um arranjo amistoso que consistia em esconder esse pônei para que ninguém mais o tocasse durante a ausência dela. Sessão após sessão, ela terminara por criar um espaço privado ao qual havia confiado esse objeto eleito, garantia de uma continuidade temporal que assegurava, em suas ausências, uma promessa de presença. O objeto eleito era o laço. Um laço de cumplicidade comigo, uma certeza de me encontrar, na medida em que ela sabia que eu atendia outras crianças que, sendo suas rivais, não tinham o direito de intrometer-se no espaço dela, que ela queria privado.

Deve-se, por isso, deduzir que o pai de seu relato é o psicanalista no momento de sua primeira intervenção? Não acredito nisso. Afirmá-lo seria redutor. O psicanalista é apenas um elemento na construção dos mitos individuais do sujeito tomado numa relação transferencial. A transferência apenas mobilizou o tempo para dar aos outros de sua história, assim como de sua pré-história, uma consistência, a fim de sair de seu anonimato.

Falando comigo, ela desenhou uma casa cercada de um jardim onde estariam sua titia, seu titio, o cão e o hamster. Era a sua casa. Nela recebia aquele ou aquela que queria e rejeitava os indesejáveis. Entre eles, François, uma outra criança acolhida pela família. De repente, esse menino não tinha mais seu lugar na constelação familiar. Ele deixou de ser seu irmão de leite quando ela se tornou a filha de seu titio e de sua titia. Ela continuava a chamá-los assim privadamente, mas, em presença de testemunhas, eles se tornavam, como por milagre, papai e mamãe. Aos olhos da sociedade, ela havia normalizado a situação, mas, no que lhe dizia respeito, ela ainda tinha um luto a fazer, assim como sua titia, aliás. Esta era trabalhada pela culpabilidade. Ela se sentia culpada ao ouvir Céline chamá-la de mamãe. Para a titia, a mãe estava sempre presente, transparecia através do corpo e da vida de Céline. Ela era culpada pela idéia de adotar essa menina, já que sabia que a verdadeira mãe tinha circunstâncias atenuantes que desculpavam sua ausência. Tinha o sentimento de tê-la traído.

Eis por que o luto de Céline era duplo. É a razão pela qual os argumentos selvagens tirados de F. Dolto, que consistem em dizer à criança "você tem chance, sua mãe amava muito você; foi por isso que ela deu você para adoção. Sua mamãe sabia que uma família adotaria você e a amaria muito, talvez mais do que ela própria poderia amar", tornam impossível qualquer trabalho de luto. Como, depois de um semelhante julgamento, uma criança pode se revoltar contra sua mãe que a abandonou, ou mesmo rejeitar, mesmo que um pouquinho, sua família adotiva? Isso não é uma chance, menos ainda uma infelicidade; é uma história particular, e nada nos permite afirmar que se trata de uma boa escolha para a criança a ser adotada. Céline sabia me dizer tudo isso: "Eu até quero adotá-los, mas gostaria de que primeiro eles parassem de me dar palmadas".

Isso é suficiente para explicar o que é específico da família e do trabalho analítico? Não acredito. Há, ao menos, duas diferenças consideráveis: primeiro, a neutralidade benévola. Uma família é tudo, menos neutra. As relações inter ou intrapessoais são de tal forma carregadas de afetos e de tensão narcísica que os lugares raramente ficam onde são supostos estar. Pais e filhos, homem e mulher, diferença de gerações e de sexos, estas são noções que se mostram tanto fluidas quando instáveis. Esse estado de coisas tende a desestabilizar a estrutura familiar e a submeter seus membros a duras provas. A segunda diferença é a que confronta a criança com o fato de que lida com pais desejantes e sexualmente ativos e que ela é, desde a mais tenra idade, confrontada com essa realidade que não cessará de interrogá-la e de determinar sua estrutura.

Encontrei numerosas crianças que foram criadas em creches de abrigo por mulheres. Muitas só conheciam mulheres e, no entanto, se estruturavam normalmente, chamavam-nas mamães e se referiam ao ausente, o companheiro, o namoradinho, o marido, para instaurar o parceiro do outro sexo como interditor. As maternantes, já que se as chamava assim, sabiam, diante dessas crianças, diante da demanda delas, dizer que seu desejo se dirigia para algum outro, e esse outro era seu homem. Uma referência a um homem, mesmo que ausente, parece resolver a questão para uma criança que não conhece seu pai, ou, pelo menos, um homem que assegure uma função paterna para ela.

Isso é uma família? Não sei como responder a essa pergunta, mas uma família, para as crianças adotivas, ou para qualquer homem e qualquer mulher que tenham perdido um ou os dois pais durante sua primeira infância, não se constrói, parece-me, sem essa problemática.

Companhia de Freud editora

OBRAS PUBLICADAS

Psicanálise e Tempo
Erik Porge

Psicanálise e Análise do Discurso
Nina Leite

Letra a Letra
Jean Allouch

Mal-Estar na Procriação
Marie-Magdeleine Chatel

Marguerite ou "A Aimée" de Lacan
Jean Allouch

Revista Internacional nº 1
A Clínica Lacaniana

A Criança na Clínica Psicanalítica
Angela Vorcaro

A Feminilidade Velada
Philippe Julien

O Discurso Melancólico
Marie-Claude Lambotte

A Etificação da Psicanálise
Jean Allouch

Roubo de Idéias?
Erik Porge

Os Nomes do Pai em Jacques Lacan
Erik Porge

Revista Internacional nº 2
A Histeria

Anorexia Mental, Ascese, Mística
Éric Bidaud

Hitler – A Tirania e a Psicanálise
Jean-Gérard Bursztein

Littoral
A Criança e o Psicanalista

O Amor ao Avesso
Gérard Pommier

Paixões do Ser
Sandra Dias

A Ficção do Si Mesmo
Ana Maria Medeiros da Costa

As Construções do Universal
Monique David-Ménard

Littoral
Luto de Criança

Trata-se uma Criança – Tomos I e II
*Congresso Internacional de Psicanálise
e suas Conexões – Vários*

O Adolescente e o Psicanalista
Jean-Jacques Rassial

— Alô, Lacan?
— É claro que não.
Jean Allouch

A Crise de Adolescência
Octave Mannoni e outros

O Adolescente na Psicanálise
Raymond Cahn

A Morte e o Imaginário na Adolescência
Silvia Tubert

Invocações
Alain Didier-Weill

Um Percurso em Psicanálise com Lacan
Taciana de Melo Mafra

A Fantasia da Eleição Divina
Sergio Becker

Lacan e o Espelho Sofiânico de Boehme
Dany-Robert Dufour

O Adolescente e a Modernidade – Tomos I, II e III
*Congresso Internacional de Psicanálise
e suas Conexões – Vários*

A Hora do Chá na Casa dos Pendlebury
Alain Didier-Weill

W. R. Bion – Novas Leituras
Arnaldo Chuster

Crianças na Psicanálise
Angela Vorcaro

O Sorriso da Gioconda
Catherine Mathelin

As Psicoses
Philippe Julien

O Olhar e a Voz
Paul-Laurent Assoun

Um Jeito de Poeta
Luís Mauro Caetano da Rosa

Estética da Melancolia
Marie-Claude Lambotte

O Desejo do Psicanalista
Diana S. Rabinovich

Os Mistérios da Trindade
Dany-Robert Dufour

A Equação do Sonhos
Gisèle Chaboudez

Abandonarás teu Pai e tua Mãe
Philippe Julien

A Estrutura na Obra Lacaniana
Taciana de Melo Mafra

Elissa Rhaís
Paul Tabet

Ciúmes
Denise Lachaud

Trilhamentos do Feminino
Jerzuí Tomaz

Gostar de Mulheres
Autores diversos

Os Errantes da Carne
Jean-Pierre Winter

As Intervenções do Analista
Isidoro Vegh

Adolescência e Psicose
Edson Saggese

O Sujeito em Estado Limite
Jean-Jacques Rassial

O que Acontece no Ato Analítico?
Roberto Harari

A Clínica da Identificação
Clara Cruglak

A Escritura Psicótica
Marcelo Muniz Freire

Os Discursos e a Cura
Isidoro Vegh

Procuro o Homem da Minha Vida
Daniela Di Segni

A Criança Adotiva
Nazir Hamad

Littoral
O Pai

O Transexualismo
Henry Frignet

Psicose, Perversão, Neurose
Philippe Julien

Como se Chama James Joyce?
Roberto Harari

A Psicanálise: dos Princípios Ético-estéticos à Clinica
W.R. Bion – Novas Leituras

O Significante, a Letra e o Objeto
Charles Melman

O Complexo de Jocasta
Marie-Christine Laznik

O Homem sem Gravidade
Charles Melman

O Desejo da Escrita em Ítalo Calvino
Rita de Cássia Maia e Silva Costa

O Dia em que Lacan me Adotou
Gérard Haddad

Mulheres de 50
Daniela Di Segni e Hilda V. Levy

A Transferência
Taciana de Melo Mafra

Clínica da Pulsão
Diana S. Rabinovich

Os Discursos na Psicanálise
Aurélio Souza

Littoral
O conhecimento paranóico

Revista Dizer - 14
A medicalização da dor

Neurose Obsessiva
Charles Melman

A Erótica do Luto
Jean Allouch

Um Mundo sem Limite
Jean-Pierre Lebrun

Comer o Livro
Gérard Haddad

Do pai à letra
Hector Yankelevich

A experiência da análise
Norberto Ferreyra

A fadiga crônica
Pura H. Cancina

O desejo contrariado
Robert Lévy

Psicanálise de Crianças Separadas
Jenny Aubry

Lógica das Paixões
Roland Gori

Esta obra foi produzida nas
oficinas da Imos Gráfica e Editora na
cidade do Rio de Janeiro